玉树大地震救灾重建志

（卷二）图　志

《玉树大地震救灾重建志》编纂委员会　编

方志出版社
Publishing House of Local Records

图书在版编目（CIP）数据

玉树大地震救灾重建志．卷二，图志 /《玉树大地震救灾重建志》编纂委员会编．—北京：方志出版社，2024.7

ISBN 978-7-5144-5215-0

Ⅰ．①玉… Ⅱ．①玉… Ⅲ．①地震灾害—重建—玉树县 Ⅳ．① D632.5

中国国家版本馆 CIP 数据核字（2023）第 245776 号

责任编辑：何明忠
责任校对：张玉霞
责任印制：梅中英
出 版 者：方志出版社
地　　址：北京市朝阳区潘家园东里 9 号（国家方志馆 4 层）
邮　　编：100021
网　　址：http://www.zgfzcb.cn
发　　行：方志出版社图书营销中心（010-67110500）
印　　刷：北京中科印刷有限公司
开　　本：889 毫米 ×1194 毫米　1/16
印　　张：40.5
字　　数：981 千字
版　　次：2024 年 7 月第 1 版
印　　次：2024 年 7 月第 1 次印刷
定　　价：450.00 元

玉树

2010.4.14 7：49

7.1级大地震

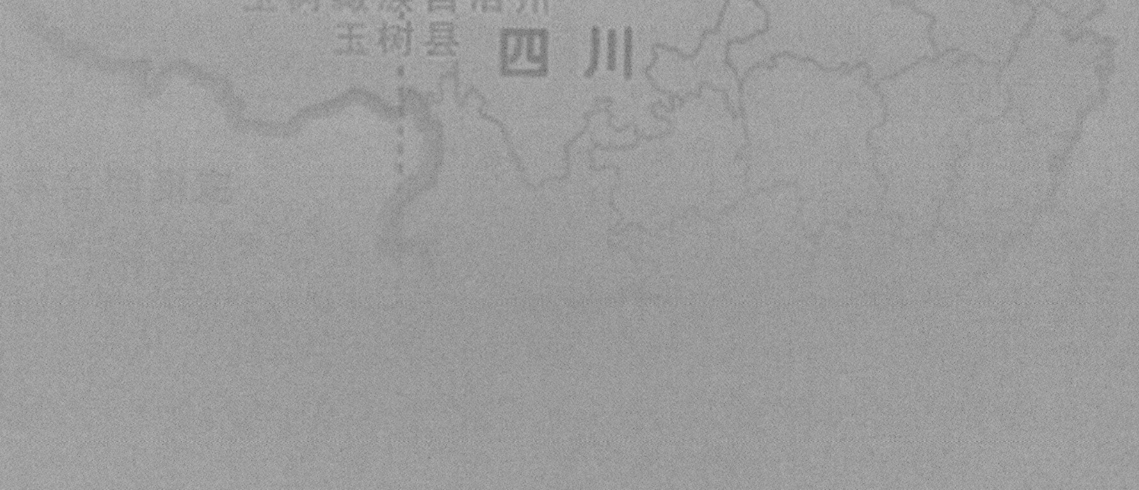

4月14日7时49分37.9秒 青海省玉树藏族自治州玉树县发生里氏7.1级强烈地震

总受灾面积约为35862平方千米，重灾区面积约8022平方千米，246842人受灾，2698人遇难，270人失踪。此次地震为当地有历史记录以来最强烈的地震

4月14日8时许 青海省消防总队玉树支队成立救援组、医疗救护组和县中队看守所增援组，当即开始紧急救援，成为第一支救援部队、第一个救出生命的部队、第一家开设集中安置点的部队

4月14日9时许 青海省委、省政府召开紧急会议，立即启动Ⅰ级应急响应，安排部署抗震救灾和应急处置工作

4月14日10时 卫生部启动自然灾害卫生应急Ⅰ级响应

4月14日上午 温家宝致电强卫，对青海省玉树抗震救灾工作做出重要指示

4月14日中午 受胡锦涛、温家宝委托，回良玉率领国务院有关部门和军队、武警部队负责人紧急赶赴灾区

4月14日11时30分 强卫主持召开十一届省委第92次常委会会议，部署抗震救灾工作

4月14日15时20分 省长骆惠宁一行乘坐专机抵达结古镇，开展现场指挥救援工作

4月14日19时40分 四川省救援队抵达玉树灾区，随即赶赴救援现场。

4月15日11时 甘肃省组织的应急救援队38人、带10辆救护车到达玉树灾区

4月15日17时15分 温家宝乘飞机抵达玉树考察灾情慰问各族干部群众，指导抗震救灾工作

4月15日下午 首架运送震区伤员的飞机抵达西宁机场，38名伤员随即被送往医院

4月17日 卫生部疾病预防控制局局长于竞进带领由25人组成的国家卫生防疫队抵达玉树地震灾区

4月17日 青海省红十字会在西宁市中心广场举行玉树“4·14”抗震救灾大型募捐活动

4月17日 玉树州孤儿学校学生率先复课

4月18日11时 胡锦涛乘专机抵达玉树灾区视察

《玉树大地震救灾重建志》编纂委员会

《玉树大地震救灾重建志》评审小组

组　　长	高　煜			
副 组 长	杨松义			
成　　员	曹多珠	王华平	邓尔平	吴解勋
	索　南	韩新华	李泰年	王　升
	陈宇琪	凌　晨		

《玉树大地震救灾重建志（卷二）图志》编纂委员会

主　　任	吉狄马加				
副 主 任	宋江涛	司才仁	周洪源	索南加	李连峻
	马千里	卫　庶	凌　晨	马玉宏	刘　鹏
	蔡　征				
委　　员	李文斌	刘　伟	武良桃	马凤莲	陈长生
	李向宁	史长智	刘宝珊	刘恩龙	马显光
	武国龙	陈沸宇	罗占祥	袁　勇	
主　　编	宋江涛				
副 主 编	武良桃				
分　　纂	陈长生	李向宁			
办公室主任	宋江涛				
副 主 任	刘　伟	武良桃	马凤莲		
工作人员	周少恒	田春元	高　毅	周凌源	

凡　例

一、《玉树大地震救灾重建志》（以下简称“全志”）编纂，以马克思列宁主义、毛泽东思想、邓小平理论、“三个代表”重要思想、科学发展观、习近平新时代中国特色社会主义思想为指导，坚持辩证唯物主义和历史唯物主义的立场、观点和方法，存真求实，全面、客观、系统地记述2010年4月14日发生在青海省玉树藏族自治州玉树县的里氏7.1级地震灾情灾害、抢险救灾、医疗防疫、社会赈灾和恢复重建的全过程，全景展示中共中央、国务院的坚强领导和青海省委、省政府及各族人民群众抗震救灾的奋斗历程，充分展示社会主义制度的优越性和中华民族强大的凝聚力、向心力，大力弘扬大爱同心、坚韧不拔、挑战极限、感恩奋进的玉树抗震救灾精神。

二、全志共分六卷，卷一为《大事记·附录》，卷二为《图志》，卷三为《灾情灾害志·抢险救灾志》，卷四为《医疗防疫志·社会赈灾志》，卷五为《灾后重建志》，卷六为《集体·人物》。

三、各卷记述时限，上限均为2010年4月14日，下限根据记述主体内容有所区别。卷一《大事记·附录》，卷二《图志》下限为2013年12月31日；卷三中的《灾情灾害志》下限为2010年6月20日，《抢险救灾志》下限为2010年8月31日；卷四《医疗防疫志·社会赈灾志》下限为2010年8月31日；卷五《灾后重建志》下限为2013年12月31日；卷六《集体·人物》下限为2014年1月。为保持记述内容的相对完整，对必要的背景内容、捐赠款物统计及与抗震救灾工作密切相关的原始文件、重大事件后续发展等方面，记述时限适当上溯、下延。

四、全志记述的地域范围，灾情灾害部分为玉树大地震的主要灾区，重点记述玉树藏族自治州1个极重灾区（结古镇）、4个重灾区（隆宝镇、仲达乡、安冲乡、巴塘乡）的情况；其他部分为事件相关地域。

五、全志采用述、记、志、传、图、表、录、索引等体裁，以志为主。内容记述，横分门类，纵述史实。篇目结构，除《大事记·附录》外，其余各卷原则上按篇、章、节编次，节下设目。各卷卷首设《编纂说明》。《凡例》中没有涉及但需要说明并作特殊处理的原则和内容，在各分卷《编纂说明》中分别予以说明。全志除《图志》集中编排图片外，其他各卷图片随文插录。图片不编号，表格以各分卷的篇为单位排序编号。所用地图均以国家测绘部门审定的为准。

六、全志采用现代语体文记述，除前言、概述、无题述外，坚持述而不论，寓观点于记述之中。

七、全志涉及国家法律、法规和有关部门规章的，以现行法律、法规和有关部门规章为准。数字用法、标点符号分别采用国家标准《出版物上数字用法》（GB T15835-2011）、《标点符号用法》（GB T15834-2011），计量单位采用国家技术监督局1993年12月发布的《量和单位》系列国家标准。行文规范，按照全志编纂委员会制定的《〈玉树大地震救灾重建志〉行文规范》执行。

八、全志资料来源为各级档案馆、图书馆和各种媒体及有关单位。统计数字采用省政府统一提供的公开发布的数据和统计局发布的数据。

九、编纂要点。《大事记·附录》居全志之首。《大事记》采用编年体，适当结合纪事本末体，依时间顺序按年、月、日记载玉树大地震救灾重建全过程中的大事、要事、新事、特事。《附录》按文体分类，主要辑存有关抗震救灾和灾后恢复重建的重要文献。

《图志》按专题分类，采用图片下附简要文字说明的形式，直观再现玉树大地震前后灾区面貌和抗震救灾、灾后重建全过程。

《灾情灾害志·抢险救灾志》《医疗防疫志·社会赈灾志》《灾后重建志》为全志的主体部分。其中，《灾情灾害志·抢险救灾志》主要记述玉树地震灾区地理概况、区域历史地震、玉树大地震造成的巨大破坏和次生灾害情况；中国共产党、人民政府、全国各族人民和海内外各方紧急救援玉树地震灾区情况。《医疗防疫志·社会赈灾志》主要记述灾区医疗救护、疫病防治、伤员康复、医疗卫生机构恢复重建等情况；全国各地、国际社会对玉树地震灾区的赈济及捐赠款物的管理发放情况及群众生活安置工作。《灾后重建志》主要记述灾害调查评估、恢复重建工作的组织实施及验收等情况。

《集体·人物》按人物传、人物简介、人物表分类，坚持“生不立传”的原则，以事系人。区分表彰层次，以相应形式记载为抗震救灾和恢复重建做出贡献并受到表彰的英雄集体和模范。

十、全志一般不采用注释，个别特殊需要加以说明的采取页下注或文内括注方式。

十一、鉴于玉树市于2013年11月1日正式挂牌成立，为尊重历史事实，全志对玉树县、玉树市不作统一处理，两称并存。

编纂说明

一、《玉树大地震救灾重建志（卷二）图志》（以下简称“《图志》”）由青海省政府新闻办公室牵头承编，主要参编单位有省委宣传部、玉树州政府、省广电局、青海日报社、省文化新闻出版厅、新华社青海分社、中央新闻单位驻青海各记者站。

二、《图志》采用图片与简要文字介绍相结合的形式，直观再现玉树大地震前后灾区的面貌落差和抗震救灾的全过程，内容包括概述和震前风貌、灾区灾情、抢险救援、八方捐助、灾后重建与复产复课、新闻宣传、悼念·表彰7章，以及摄影单位和摄影人员名单、后记。

三、入志范围：以中共青海省委、青海省人民政府在中共中央、国务院、中央军委的坚强领导下，率领玉树和全省人民抗震救灾、重建家园的英勇奋斗历程为主线，广泛收录为玉树抗震救灾、重建家园做出贡献的生动感人事迹。

四、领导人照片排序遵循依照时间顺序兼顾职务的原则排列。有关部委领导严格按时间先后顺序排列；青海省党政领导明按时间顺序，暗依正省级、省委常委、副省级的次序排列。

五、少部分入志照片未注明具体拍摄时间的采取节下无题序中提示“在有关时间节点……”的办法加以处理。

六、所有照片的拍摄者一律按照志书惯例在志末以摄影单位和摄影人员名单排列。

总目录

（卷一）大事记·附录

（卷二）图　志

（卷三）灾情灾害志·抢险救灾志

灾情灾害志

抢险救灾志

（卷四）医疗防疫志·社会赈灾志

医疗防疫志

社会赈灾志

（卷五）灾后重建志

（卷六）集体·人物

目　录

概　述

众志成城　抗震救灾

一、关怀

2010年4月14日7时49分，青海省玉树藏族自治州（以下简称“玉树州”）发生里氏7.1级地震，是当地有记载以来最强烈的地震，给人民生命财产和经济社会发展造成了重大损失。对这起发生在三江源区域的强烈地震，举国震惊和悲痛，举世瞩目和关切。

得知玉树发生地震的消息后，正在国外访问的中共中央总书记、国家主席、中央军委主席胡锦涛向国内发出指示并决定提前回国。北京时间4月17日14时20分许，胡锦涛从大洋彼岸回到北京。当日16时，胡锦涛不顾旅途劳累，立即主持召开中共中央政治局常务委员会会议，研究部署玉树抗震救灾工作，提出明确要求。

“要全力搜救被困群众”“要努力救治受伤人员”“要妥善安排群众生活”“要切实解决好灾区学生复课问题”“要加强对次生灾害的预防”。

吴邦国、温家宝、贾庆林、李长春、习近平、李克强、贺国强等中央领导人，也非常牵挂玉树地震灾区的救援进展情况，通过不同方式慰问灾区群众，指导抗震救灾工作。

地震发生后，国务院迅速成立抗震救灾总指挥部。中共中央政治局委员、国务院副总理回良玉任总指挥，总指挥部下设抢险救灾、群众生活、卫生防疫、基础设施保障和生产恢复、地震监测、社会治安、宣传、综合8个工作组。受中共中央总书记胡锦涛、国务院总理温家宝委托，回良玉于14日中午即率国务院有关部门和人民解放军、武警部队负责人紧急赶赴灾区，指导抗震救灾。

4月15日，温家宝飞抵玉树地震灾区，考察灾情，慰问各族干部群众，指导抗震救灾工作。4月16日清晨，温家宝乘车前往玉树州孤儿院看望儿童，之后又深入受灾严重的学校、孤儿院、寺庙和受灾群众集中安置点看望慰问各族群众。温家宝登上结古镇民族商贸城倒塌的废墟，对围拢的群众饱含深情地说：“乡亲们的灾难就是大家的灾难，乡亲们的痛苦就是大家的痛苦，乡亲们失去的亲人也是大家的亲人。我们共同对他们表示哀悼。当前，第一位的工作是救人，我们已经派出了大批救援队伍，还在陆续增派，只要有一丝希望，就要尽百分努力，决不放弃。”

4月18日，胡锦涛乘飞机前往玉树地震灾区，看望慰问灾区干部群众，实地指导抗震救灾工作。经过3个多小时的飞行，胡锦涛一下飞机，立即赶往受灾最严重的玉树县结古镇视察。在遭受重创的扎西大同村，胡锦涛踩着碎砖砾石，登上废墟高处，查看房屋倒塌情况。面对正在现场救援的人民解放军指战员，他指示：“尽最大的努力抢救被困人员，只要还有一线希望，就要尽百倍的努力。”现场视察灾情后，在抗震救灾指挥部的帐篷会议室，胡锦涛指出，必须以更加顽强的精神、更加迅速的行动、更加科学的办法，克服艰难险阻，全力搜救被困群众，努力救治受伤人员，妥善安排群众生活，迅速修复基础设施，做好宣传舆论工作，确保社会稳定。受灾地区各级党政领导班子和领导干部要牢记全心全意为人民服务的根本宗旨，坚守岗位、恪尽职守，深入一线、靠前指挥，到灾情最严重的地方去，到最困难的地方去，带领广大群众全力以赴抗震救灾。

面对突如其来的地震灾难，中共青海省委、青海省人民政府（以下简称“省委”、“省政府”）和灾区各级党委、政府坚决贯彻中共中央、国务院的决策部署，立即启动应急预案，省委、省政府成立抗震救灾领导小组，省委书记任组长，省长任第一副组长；省政府成立抗震救灾指挥部，省长任总指挥，指挥部分设玉树前方指挥部和西宁指挥点，省委书记和省长负责前方指挥。省委要求驻青海人民解放军和武警部队官兵、全省公安干警，全省各部门、各地区、各单位，全省广大领导干部和共产党员，全省各族人民，立即行动起来，全力以赴抗震救灾，万众一心去夺取胜利。

4 月 14 日下午，省长骆惠宁、省委书记强卫和省里其他领导先后赶到灾区，指挥抗震救灾工作。地震发生后，各级干部挺身而出、身先士卒，组织带领群众抢救被困人员、安置受灾群众、恢复重建家园。广大共产党员危难之际牢记使命，关键时刻站得出来，生死关头豁得出去，一个支部就是一个堡垒，一名党员就是一面旗帜，一个干部就是一个标杆。特别是灾区基层的很多党员干部忍着失去亲人的悲痛，拼着性命工作，以心血、汗水和生命书写了对党和人民的无限忠诚。灾区人民在强震面前没有惊慌失措，在失去家园的时候没有悲观消沉，他们坚强不屈、守望相助，在残垣断壁之间、碎石瓦砾之中，奋力开展自救、互救，用压不垮、震不倒、摧不折的精神，集聚成“玉树不倒、青海长青”的强大力量。

从灾难发生的那一刻起，人民解放军和武警部队应急机制全面启动，抗震救灾指挥工作组迅速成立，一支支劲旅在嘹亮的号角下集结，千军万马从祖国各地向着同一个方向紧急开进。人民军队坚决响应党和人民的召唤，冲锋在前、勇挑重担，充分发挥了主力军和突击队作用。16000 名人民解放军指战员和武警部队官兵、3700 多名公安民警和消防边防官兵、2700 多名民兵预备役人员、1400 多名专业救援队员，承担起抗震救灾最紧急、最艰难、最危险的任务。他们发扬“特别能吃苦、特别能战斗、特别能忍耐、特别能团结、特别能奉献”的精神，以坚强毅力挑战体力极限、精神极限、生存极限，冲破千难万险为灾区群众送去生命的希望。从高级将领到普通士兵，人人奋勇争先，哪里有受灾群众就向哪里集结，哪里灾情危急就向哪里冲去，哪里有生死考验就向哪里挺进。人民子弟兵用赤胆忠诚、钢铁意志和血肉之躯，谱写了感天动地的英雄凯歌。

地震无情，人间有爱。地震发生后，全国人民倾力支援、大力支持，为战胜地震灾害提供了源源不断的保障和支持，体现了中华民族血浓于水的血脉亲情和感天动地的无疆大爱。

二、家园

玉树州，位于青海省西南青藏高原腹地三江源头，地理坐标为北纬 31°35′～36°30′、东经 89°35′～97°55′，北与青海省海西蒙古族藏族自治州相连，西北角与新疆维吾尔自治区巴音郭楞自治州接壤，东与青海省果洛藏族自治州互通，东南与四川省甘孜藏族自治州毗邻，西南与西藏自治区昌都地区和那曲地区交界。州境东西最长 738 千米，南北最宽 406 千米，土地总面积 26.7 万平方千米，占全省总面积的 37.2%；平均海拔 4000 米以上，最低点 3510 米，最高点 6621 米。辖玉树、称多、囊谦、杂多、治多、曲麻莱 6 个县，共 10 个镇、35 个乡、257 个村（牧）委会，总人口 37.84 万人，其中藏族人口 36.51 万，约占总人口的 96.49%。玉树藏族自治州是青海省第一个、全国第二个成立的少数民族自治州，是全国 30 个少数民族自治州中主体民族比例最高、海拔最高、人均占有面积最大、生态位置最重要的一个自治州。

玉树州是青藏高原的重要组成部分，是青藏高原腹地自成体系的自然区域。以唐古拉山脉的主峰各拉丹冬峰为主的雪峰冰川孕育了长江、黄河、澜沧江等中国著名的三大河流；三江源自然保护区和可可西里自然保护区覆盖全境。州政府驻玉树县结古镇，是全州政治、经济、文化、交通的中心，也是历史上唐蕃古道的重镇和青海、四川、西藏交界处的民间贸易集散地。玉树州素有“江河之源”“名山之宗”“牦牛之地”“歌舞之乡”和“中华水塔”的美誉。

玉树州是一个以牧为主、农牧兼营的地区，也是一个自然资源的富矿区。全州有草场 18.96 万平方千米，占全州总面积的 71%。其中，可利用草场约 0.11 亿公顷，年产鲜牛奶 26500 吨、牛羊肉 45000 吨、羊毛 1300 吨、牛羊皮 90 万张。有耕地 1.38 万公顷，主要种植青稞、豌豆、马铃薯、油菜、芫根等。初步探明矿点 261 处，主要有金、银、铜、铁、铝、煤、硫黄、水晶、玉石等 40 余种，总储量 300 亿吨；已查明的各类中药材 913 种，其中植物类药材 808 种，著名的有虫草、知母、贝母、大黄、雪莲等；动物种类药材 80 种，主要有鹿茸、麝香等。境内水利资源富足，三大江河支流纵横，湖泊星罗棋布，总流域面积为 23.8 万平方千米，占全州总面积的 89.12%。水能发电的理论蕴藏量为 542.7 万千瓦。全州有 4 个天然林区，林地总面积 39 万公顷，森林覆盖率为 1.7%。在山涧丛林原野之中，栖息着各种珍禽异兽，主要有野牦牛、野驴、藏羚羊、岩羊、黄羊、白唇鹿、马鹿、金钱豹、雪豹、猞猁、棕熊和珍禽黑颈鹤、马鸡、雪鸡等。鸟类品种为全省之首，兽类品种居全省第二。

玉树州属藏族聚居的群众性信教地区，藏传佛教距今已有 800 多年的历史。在通往西藏的唐蕃古道上，以藏传佛教为主的寺院颇多，全州境内有各类藏传佛教寺院 190 座，约占青海省藏传佛教寺院总数的 28.79%，是独具特色的宗教文化艺术的重要活动场所。加之受历史进程、地理条件和自然环境的深刻影响，玉树地区居民在心理素质、语言风格、审美观点、生活方式和传统习惯等方面都有着与其他地区不同的特点。

玉树历史悠久、山川壮丽、民族文化源远流长，境内有许多具有高原特色的自然景观；有神秘的唐蕃古道；有世界之最的新寨嘉那嘛呢石堆和岗察寺殿内高达 25 米的宗喀巴坐佛铜像；有黑颈鹤的故乡隆宝滩国家级自然保护区和可可西里野生动物保护区等，全州旅游观光景区、景点达 40 余处。

党和政府十分重视和关怀玉树州的经济建设，一直把努力发展民族经济、尽快改变少数民族地区的落后面貌放在首位，特别是改革开放以来，从中央到省上，在政策上给予了极大的优惠，在资金上实行了倾斜，全州各项事业飞跃发展，人民生活水平日益提高。

三、灾情

玉树州发生的里氏 7.1 级强烈地震，震源深度约 14 千米，最高烈度Ⅸ度强，波及范围约 3.59 万平方千米，极重灾区和重灾区面积约 8022 平方千米。地震发生的瞬间，山崩地坼，道路中断，房屋倒塌，尘沙漫天，极重灾区城镇几乎被夷为平地，到处残垣断壁、瓦砾成堆。地震强度之大、破坏之严重、人员伤亡之多、救灾难度之大，都是青海历史上空前的。

突如其来的强烈地震给玉树州造成了严重的灾难：

一是人员伤亡惨重。截至 2010 年 5 月 30 日 18 时，经青海省民政厅、公安厅和玉树州政府按相关程序规定核准，玉树地震造成 2698 人遇难，其中已确认身份 2687 人、无名遗体 11 具，失踪 270 人。已确认身份的遇难人员：男性 1290 人，女性 1397 人；玉树籍 2537 人，省内非玉树籍 54 人，外省籍 96 人（含香港籍 1 人）；遇难学生 199 人。

二是通信、公路、水利等基础设施遭到严重破坏。重灾区干线公路 875 千米路面出现多处裂缝，路基沉陷，防护设施严重损毁。国道 214 线歇武至巴塘机场 70 千米多处滑坡深陷，防护排水系统严重受损，路面尘土飞扬，很多路段裂缝明显，最宽处达 20 厘米左右，路边常有塌方和山体滑坡；10 座桥梁发生移位，正在建筑的桥梁也因为地震成了危桥；西杭水电站基本报废，禅古水电站大坝受损；玉树县供水设施基本瘫痪，饮水遭到污染，群众饮水困难；党政机关、医院、学校等公共设施严重破坏，给群众正常生活带来严重影响。此外，强震还使玉树县固定电话中断，供电、通信也一度中断。

三是财产损失重大。灾区房屋结构类型主要有土木结构、砖混结构、钢筋混凝土框架结构等，其中农村地区大部分为土木结构房屋，城镇房屋土木结构占 70% 以上、砖木结构和砖混结构约占 20%、钢筋混凝土框架结构约占 10%。地震造成大量房屋破坏，极重灾区结古镇的土木、砖木结构房屋几乎全部倒塌或严重破坏，砖混结构房屋 80% 以上倒塌，框架结构房屋约 20% 倒塌，没有倒的全部都有裂缝，成为危房。玉树的宾馆、学校等成为主要的重灾点。

70% 的学校房屋在地震中倒塌。

从灾害范围来看，玉树地震造成 6 个县 19 个乡镇受灾，受灾人口达 246842 人。

四、救灾

地震发生后，在中共中央、国务院、中央军委的坚强领导下，一场气壮山河的抗震救灾斗争，在高寒缺氧的恶劣环境中展开。

震后第一时间，国家减灾委、民政部紧急启动国家 I 级救灾应急响应。国家发展改革委、交通运输部、民航局、国家测绘局、中国科学院等单位，分别在资金调拨、交通保障、数据提供等方面积极行动、密切配合，为救灾工作开辟了一条条“绿色通道”。卫生部、教育部、中国红十字会……许多部门和单位迅速行动，紧急调配资源，调动人力，在第一时间各就各位，开始高效有序运转。

——震后 20 分钟，玉树当地驻军、武警、公安、医院、机关工作人员等，扑向废墟，在漫天烟尘中站在了抢救生命的第一现场，他们用铁棍撬、镐头凿，更多的则是用手挖、用肩抬，全力抢救群众生命。震后 6 小时，抢救被压埋群众 113 人、救出受伤人员 1100 余人。

——震后 30 分钟，武警青海总队医院医疗队迅速组建完成，从西宁火速搭乘专机抵达玉树，第一时间投入救援。

——震后 2 个小时，兰州军区某独立步兵团全员出动，强行军 16 小时后抵达灾区。某摩步旅翻越 4 座海拔 4500 米以上的雪山达坂，连续 30 小时开进 1500 多千米到达灾区。新疆军区某陆航旅也紧急从 1700 千米外起飞。

——震后 3 个小时，武警总部下达紧急命令，武警青海总队 3200 名官兵从西宁和格尔木两路并进，向灾区摩托化开进。

——震后 4 个小时，青海省消防总队抽调第一批 88 名官兵、11 台消防车，携带救援器材和海事卫星电话赶赴灾区；西宁市特警支队 80 名警力、海南州公安局 60 名警力也已出发赶赴救灾现场；同时，省公安厅组织救援工作组带领 2 条搜救犬乘飞机赶赴玉树灾区。

震后第一时间，电信部门共派出 415 人的 9 个抢险队，利用应急通信车和电源车等前往地震灾区抢险。震后 4 小时，玉树电力系统一线工作人员就通过紧急检查测试，恢复了玉树州受损较轻的称多县拉贡电站 2 号机组的运行，其连接至结古中心变电所的 35 千伏线路率先通电，结古中心变电所功能得到基本恢复。15 日 7 时，玉树州 6 个县通信全部抢通。

和时间赛跑，与死神抗争。人民空军又一次展开非战争军事行动史上大规模的空运行动。4 月 14 日 13 时 13 分，空军第一架伊尔-76 运输机紧急起飞；13 时 21 分，第二架伊尔-76 运输机紧急起飞；13 时 27 分，第三架伊尔-76 运输机紧急起飞。

第二炮兵某基地官兵携带重型装备与医疗救护车辆，经过连夜急行军，于15日上午抵达灾区。四川省军区1200余名官兵和民兵预备役人员翻越二郎山，昼夜兼程开往灾区。北京军区、济南军区和总参谋部、总后勤部有关部队纷纷前往支援。18支部队医疗队、1209名军队医护人员也紧急赶到。兰州军区、成都军区、第二炮兵及总后勤部的6所军队医院，承担起转运伤员的救治任务……徒步急行军，摩托化开进，空中投送……一支支番号不同的队伍，克服重重险阻，向玉树灾区挺进。到4月18日22时，解放军和武警部队共出动兵力12693人，12535人到达救援一线。

在有着“生命禁区”之称的青藏高原，即便是徒步行走，也相当于在内地负重20千克的体力消耗。高原稀薄的空气，只有相当于平原60%的含氧量，拉推举手都分外费力。官兵们忍着剧烈的头痛和一阵阵的眩晕，咬紧牙关坚持搜救，用切割机、钢丝钳把楼板钢筋剪断，用起重机、吊车将一块块沉重的坍塌物吊走。为了不伤到幸存者，他们甚至用手掏、挖、刨，手套被磨破，手指磨出血却毫不减速。实在坚持不住，就捂着胸口靠在一边喘几口气，随即又投入紧张的救援中。

在地震发生后的72小时里，解放军、武警官兵等救援人员实现了紧急搜救全覆盖，累计为6.55万人次提供医疗服务，创造了人类重大救灾史上死亡人员最少、伤员转移最快、救治最及时、致残率最低的奇迹。

4月17日下午，全国最先进的野战方舱医院由解放军第153医院在结古镇开始搭建。当晚，二炮总医院抗震救灾医疗队的“远程医学影像会诊系统”投入使用。随后，各部队医院以及北京、四川、云南、陕西、山东等地方医院医疗队争先恐后来到灾区，投入抢救生命的洪流之中。灾区的医疗队伍不断扩大，医疗条件不断“升级”，各种装备、各种方案被不计代价地投入对伤员的救治中。伤势较轻的群众在玉树当地接受救治，重症伤员则以最快的速度被运送到西宁、成都、兰州、西安、格尔木等地救治。成都军区总医院等医院还派出精干力量等候在停机坪上，飞机刚一停稳就奔向机舱，力求收治的“无缝对接”，最大限度地缩短路上的时间。

灾情发生后，抗震救灾指挥部迅速将极重灾区结古镇划分为19个片区，组建工作队，干部带队，深入村社，分片负责，指挥开展救灾工作。玉树州广大干部群众艰苦奋斗、自强不息，始终站在救灾的最前列，奋勇争当排头兵，他们在自救的同时积极开展互救，坚持把救人作为首要任务，最大程度搜救被困群众，只要有一丝希望，就尽百分努力，坚持下去，决不放弃，不漏一户、不漏一人，与时间赛跑、与死神抗争。

紧急关头，灾区各级领导干部临危不惧，坚毅沉着，恪尽职守，勇挑重担；广大党员干部挺身而出，无畏担当，冲锋在前，敢打硬仗；各族群众生死相依，守望相助，顽强拼搏，共克时艰，展示了各民族感恩、坚强、豪迈和乐观看待生命的伟大精神。

在困难面前，党员干部是群众的主心骨和贴心人。一言一行，寄托着群众的厚望，代表着党和政府的形象。灾区的广大共产党员以大局为重，到灾情最重的地方去，到困难最大的地方去，以坚定、坚强、坚韧的意志无畏担当，积极动员和组织群众抗灾自救，舍小家、顾大家，在恢复生产、灾后重建中发挥带头先锋作用，用心血、汗水和生命书写着对党和人民的无限忠诚。

危难之中，宗教界也发挥了积极作用。玉树寺多僧众，在地震袭来的时候，许多寺庙遭到严重毁坏，一些僧侣也不幸遇难。面对灾难，广大僧侣快速反应，迅速行动，各寺院在组织自救的同时，自发组织僧侣去援救被困群众。

抗震救灾西宁指挥点积极协调全省各部门通力合作，全力做好抢险救援队伍生活保障和救灾款物的接收、调运和发放工作。组织玉树县周边地区懂藏、汉双语的干部，分赴兰州、西安、成都、西宁等地接收伤员救治的医院，做好伤员思想疏导及沟通服务工作。增派运输车辆和人员，集中解决救灾物资运输困难问题。

武警玉树支队在震后第二天就启用发电机抽水给受灾群众饮用，还设立了“便民就餐点”，在简易的灶台和直径1米多的大锅里煮出热气腾腾的白粥分发给群众。官兵们每天要煮50多锅，保障3000多名群众用餐。

武警某部的官兵们抡起10千克的铁锤，在冻土中敲进一排排钢钉，搬来石块，为群众连夜搭起62顶帐篷；兰州军区63台高原野战炊事车在结古镇扎西科5个居民点铺开，24小时为群众提供热菜热饭。

面对强烈地震，救援队快速反应，迅速行动，以最快的速度抢修恢复基础设施，第一时间修通了被损毁的机场道路和机场通信，第二天凌晨便恢复了玉树县的交通、通信。同时，指挥部、安置点、医疗点等重点部位的电力供应得到有效保障。震后第五天，应急性的水、电、路和通信全面恢复；第七天，解决了结古镇重点临时安置点和结古镇以外8个乡镇的供水问题，实现了道路、通信、电力畅通。

面对强烈地震，抗震救灾工作有序开展，合力推进，指挥部组织各方面的力量，采取多方面措施着力促进生产生活秩序的恢复。快速推进机关临时办公场所建设，在最短的时间内大部分党政机关单位的办公秩序恢复正常；结古镇区3000多个商业、邮政、金融等服务网点全面恢复，农牧业生产和虫草采挖有序展开。震后第四天下午，州孤儿学校率先复课，10天内各中学高中班陆续复课，37天内灾区所有学校全部复课，并安排5000多名中学生到省外就读，在最短的时间内基本恢复了群众正常的生产生活秩序。

面对强烈地震，积极开展地质灾害隐患排查，将受次生地质灾害严重威胁的群众紧急转移到安全地带，最大限度地保障了群众的生命财产安全。始终坚持防疫与救灾并重的原则，强化卫生防疫措施，大力整治环境卫生，持续深入开展消杀灭、传染病疫情监测、鼠疫疫情监测、水质监测、粪便无害化处理、健康教育等工作，灾区没有发生重大传染病疫情和突发公共卫生事件，实现了大震之后无大疫。

五、援助

地震发生后，中央财政紧急下拨救灾资金2亿元。时隔6日，中央财政再次下拨资金3亿元。民政部紧急从天津、沈阳、郑州、武汉、西安5个中央救灾物资储备库向青海灾区调拨5000顶棉帐篷、5万件棉大衣、5万床棉被，帮助受灾群众解决生活困难；国家发展改革委紧急下达中央预算内补助5000万元，专项用于玉树地震抗震救灾和损毁设施恢复重建。

地震发生后，卫生部组织的北京、天津第一批地震救援医疗队携带6吨医疗救援物资于15日11时许从北京南苑机场起飞，赶赴青海玉树震区；解放军总后勤部快速筹措、紧急调运85个品种、价值6048.6万元的药品、装备发往灾区；公安部调集各类救援车辆、装备物资总价值逾2亿元。教育部紧急筹集教具、书包、藏汉双语心理辅导读本和教具箱等教学物资发往灾区，帮助灾区学生尽快恢复上课。运送3万台收音机和500台电视机、500台电视卫星信号接收器到玉树震区，帮助灾区群众收听收看电台电视节目。

北京、上海、武汉、广州……一架架满载食品和饮用水的飞机腾空而起，向玉树飞去；沈阳、郑州、西安……一列列装满帐篷、棉衣被褥等救灾物资的救灾列车，向灾区疾驶；地震当日下午3时25分，青海首批99名救援人员携带药品、医疗器械、食物和饮用水到达灾区现场。

第一时间，青海省民政厅成立了厅抗震救灾工作领导小组，紧急开展物资调运、宣传协调、接收捐赠物资和启动应急预案工作，会同省财政厅向玉树州下拨1000万元救灾资金，并紧急调拨7800顶救灾帐篷；青海省卫生厅组成工作组紧急赶赴玉树县结古镇，先期组建一支医疗队和一支防疫队立即出发奔赴灾区，并在省级各大医院和海南州人民医院组建10支预备医疗队和防疫队，随时待命奔赴灾区开展医疗救援和卫生防疫工作；青海省国土资源厅紧急向玉树州下拨地质灾害防治专项资金50万元，并派出一支由15人组成的专业地质灾害监测队伍赶赴玉树，对灾区特别是玉树县城周边进行地质灾害监测预警工作，严防发生次生灾害。

空中通道，是与外界保持联系的“空中生命线”。14日8时，按照省委、省政府安排部署，青海机场有限公司成立抗震救灾领导小组，全力配合做好救援物资、救援人员和伤病员运送保障工作。及时解决玉树机场供电供油问题，调整工作流程，合理安排机位和人力资源，确保机场高效运转。从14家航空公司调集的数十架飞机，建立了一条稳固的“空中生命线”。一度断电的玉树机场，一小时内完成机场运行保障工作。原来每周只有3个航班，震后这里成为中国西部最繁忙的机场，最多时一天起降52架次飞机，以最大负荷承载来自全国各地的救灾人员、物资……至19日11时，玉树、西宁、格尔木3座机场累计起降飞机400余架次，运送各类人员13100人次，运送救灾物资997吨。

短时间内，全国向玉树捐赠款物达到104.47亿元。其中，中央电视台为玉树举行的大型赈灾晚会，一次就募集捐款21.75亿元，成为中国救灾历史上一次性捐款最多的大型募捐。救灾物资在最短的时间内发放到灾区群众手中。累计发放紧急转移补助金、困难群众生活补助金、“三孤”人员补助金、遇难人员抚慰金3.5亿元，共有18.2万人领到生活困难补助、20.6万人领取了救灾口粮、19.31万人领取了转移安置补助，共发放应急帐篷78412顶；震后第五天基本实现了受灾群众有地方住、有饭吃、有干净水喝、有病能医治、学生有学上的目标，基本做到了缺什么送什么、需要什么给什么，保证了他们的基本生活所需。

玉树抗震救灾充分体现了万众一心、众志成城的中华民族亲如一家、一方有难八方支援，守望相助、共渡难关的集体主义、人道主义精神及撼天动地的力量。

六、重建

玉树大地震发生后，在抢险救灾强力推进的同时，有关玉树灾后重建的前期工作开始启动。4月20日，省政府召开玉树地震灾区灾后重建工作会议，研究部署玉树地震灾区灾后重建工作。会议提出，要确保用3年时间完成恢复重建的主要任务，再用2年时间，把玉树州府建成高原生态型商贸旅游城市、三江源地区的中心城市和青藏高原城乡一体发展的先行地区。会议确定了推进灾后重建要把握的重要原则：一是以人为本，政策措施支持的范围要覆盖受灾全部地区，重点支持城乡居民住房、公共服务设施和基础设施重建；二是科学规划，着眼长远发展，体现时代特征和民族特色，做到适度超前、高标准规划、分阶段实施。

5月19日，国务院总理温家宝主持召开国务院常务会议，研究部署玉树地震灾后恢复重建工作。会议指出，玉树地震灾后恢复重建，事关灾区紧迫的民生问题和长远发展，事关三江源地区生态保护，事关民族团结和社会和谐稳定，意义重大。同时，恢复重建工作面临高寒缺氧、施工期短、交通不便、生态脆弱和建筑资源严重不足等特殊困难，任务艰巨繁重。因此，灾后重建工作必须坚持以人为本，把保障民生放在优先位置，尊重民族文化习俗和宗教信仰，注重生态环境保护，切实做到中央大力支持、各方积极援助，科学依法统筹、有力有序有效推进恢复重建各项工作。会议提出，用3年时间基本完成恢复重建主要任务，使灾区基本生产生活条件和经济社会发展全面恢复并超过灾前水平，为建设生态美好、特色鲜明、经济发展、安全和谐的社会主义新玉树奠定坚实基础。为此，要把恢复重建城乡居民住房摆在突出位置，先行开展农村住房恢复重建。建设选址要避开重大灾害隐患地带。优先安排教育、卫生等公共服务设施的恢复重建，把学校、医院建成最安全、最牢固、群众最放心的建筑。统筹安排宗教活动场所恢复重建，加强民族宗教文化遗产的抢救和保护。以主要干线公路、农村公路和民航、邮政、通信设施为重点，恢复基础设施功能。抓紧恢复灾区各类生产设施，拓宽就业渠道，提高群众收入水平。坚持自然恢复与人工治理相结合，逐步修复生态系统。加快地质、气象灾害和次生灾害监测系统恢复重建，提高防灾减灾能力。

7 月 10 日上午，玉树举行地震灾后重建万人誓师大会暨第一批项目开工仪式，玉树县结古镇等 4 个乡镇 20 个村的村民住宅、玉树州高中、民族中学、第三完全小学、红旗小学、人民医院、藏医院及广播电视中心、供气站、寺院等作为第一批项目正式开工。

灾后重建工作全面启动以后，北京市、辽宁省和中国建筑、中国中铁、中国铁建、中国电建 4 家央企的建设大军，肩负重托，阔别亲人，远离家乡，不畏高寒缺氧，从天南地北，跨越千山万水聚集到玉树。玉树是高寒、高海拔地区，地处偏远，一年当中适宜工程施工的时间只有五六个月，所有工程材料又要从成百上千公里之外运进来。建设伊始，很多援建人员高原反应强烈，有的手被冻出肿包，有的双脚被冻得穿不上鞋，有的高烧不退、恶心呕吐……尽管条件艰苦，但他们以高度的政治责任心和社会责任感，克服交通不便、施工条件差、作业难度大等各种困难，把极高的热情和百倍的干劲投入建设之中。

省内西宁、海东、海南、海西等州（地、市）的 11 家援建企业，根据省委、省政府安排，满腔热情投身玉树灾后重建。他们怀着兄弟之情、手足之意，选派政治强、素质好、业务精、能吃苦的干部职工，及时到援建地区开展工作。

中国城市规划设计研究院（简称“中规院”）等规划设计单位的专家不怕苦不怕累，深入群众，结合实际，广泛征求意见，精心工作。全国一流的规划设计专家、建筑大师全心投入，具体参与，指导把关，编制了高质量、高水平的规划设计方案。

所有援建单位、规划设计部门和援建施工人员，讲政治、讲大局、树形象、比贡献，把投身玉树重建工作作为彰显党性、履行宗旨、展示形象的难得机遇，按时保质保量地完成每一阶段的重建任务，确保了玉树灾后重建的顺利进行。

2010 年 6 月到 2013 年 10 月，10 多万援建大军，经过 1000 多个日夜的艰苦鏖战，全部完成纳入国家重建规划的 1248 个重建项目，3 年累计完成投资 447.54 亿元。

科学规划引领重建，从建筑设计到建筑材料的采用，都坚持把对环境的影响降到最低的理念贯穿于玉树重建的各个环节。生态修复、环境整治、灾害防治和规范开采、推广节能环保材料等 93 项灾后重建生态环境建设项目全面完成。这不仅在短暂的工期内创造了奇迹，而且开创了灾后重建的独特模式。

在援建的三年中，勇敢的玉树儿女也从未停止自强不息的步伐。一方面全力投入抗震救灾斗争，另一方面超前开展重建前期工作。玉树州在省上的支持下及时组织干部到日本、四川学习震后恢复重建经验，研究提出了财政、税收、金融、土地、援助、援建等方面的灾后重建政策建议，启动结古镇甘达村和禅古村农牧民住房建设示范村试点建设工程，并开展了拆危清墟、规划政策宣传工作，加快电力等支撑性基础工程建设，为全面开展灾后重建奠定了良好的工作基础。

三年重建，是抗震救灾最为艰巨的任务，是一场更为复杂、更具挑战性的考验。截至 2013 年年底，玉树市区“四横十五纵”城市主次干道全部建成，给排水、燃气、垃圾填埋、污水处理等市政设施建成运营。一幢幢楼房拔地而起，一个个乡村面貌焕然一新，一家家商铺开门迎客，重建使震前土木结构房屋全部改为框架砖混结构，抗震能力大大提高，39149户城乡居民搬进了新居，住房条件得到根本改善。世界海拔最高、规模最大的水光互补微电网发电项目和110千伏联网工程的建成，使电力保障能力比震前提高了2倍；学生人均校舍面积是震前的1.5倍，教学投入比震前翻了两番；在行政用地规模降至震前60%的同时，教育、医疗、文化体育设施和公共用地却比震前分别提升了32%、77%、13.6倍和12倍。现代化服务设施和场所进入这个高原小城，地区公共服务设施硬件水平跃居其他藏族自治州前列。

三年重建，三年跨越，三年辉煌。如今的玉树州府，如花似锦，焕然一新，成为一座矗立于青藏高原上独具特色、功能齐全、时尚美丽的现代化新城。

七、感恩

玉树人民不会忘记——胡锦涛中断出访，返国转赴灾区，踏上废墟慰问受灾群众和一线将士，践行着以人为本的执政理念。温家宝忍着高原反应，遍赴灾区学校、医院、寺庙……督导救援，抚伤慰民……

玉树人民不会忘记——全国各地救援大军星夜兼程赶赴玉树，搜救、医疗、防疫、通信，千头万绪的救援工作紧张开展，成千上万名同胞得以重生。

玉树人民不会忘记——省委、省政府的坚强领导和现场指挥部的高效指挥，全国各地倾力支援、大力支持，各族各界大爱同心、情系玉树，慷慨捐款……汇成了前方后方同心协力，海内海外和衷共济抗击灾害的磅礴力量。

玉树人民不会忘记——昼夜奋战在废墟上的中国建筑工程总公司、中国中铁股份有限公司、中国铁建股份有限公司、中国电力建设集团有限公司、北京住总集团有限责任公司、北京建工集团有限责任公司、北京市政集团、辽宁省援建单位、青海方正援建单位、海南州援建单位、海西州援建单位、青海一建建筑工程有限责任公司、青海西部建业有限责任公司、西部矿业集团有限公司、海东地区援建单位、海北州援建单位、青海路桥建设股份有限公司等灾后重建援建单位。

玉树人民不会忘记——来自四川、西藏、辽宁、黑龙江、香港、澳门、台湾等地区系着红飘带的志愿者，他们用爱心温暖了玉树；在灾难来临时，农发行玉树分行的临时工、单位食堂的厨师杨阳，只身冲进倒塌的民居，成功救出7名藏族群众；千里走单骑的志愿者王庆，地震后10天，从山东出发，骑自行车历时61天，行程3000多千米到玉树，志愿为灾区群众服务；坚持抗震救灾52天的段磊，争分夺秒勇挑重担，用他23岁的生命历程书写了人生价值在于奉献的答卷。

玉树人民不会忘记——新疆维吾尔自治区阿克苏地区温宿县平安客运汽车出租有限公司

的 13 名职工，携带花 8 万多元购买的赈灾物资，从新疆来到玉树灾区，不顾高原反应带来的不适，烧煮新疆特色饭，免费提供给受灾群众食用；倾情奉献的个体工商户罗永跃，在灾区食品匮乏的情况下，当机立断，打开库房门，将库房里面的饮料、方便面、牛奶等食品送到救援人员和受灾群众手中，解决了救援人员和受灾群众的燃眉之急；河南省商丘市虞城县农民工王爱民，在听到玉树地震的消息后，身体残疾的他自驾农用三轮车从家乡出发，风餐露宿、历经艰辛，历时 9 天，行程 2300 多千米，为玉树灾区送来一台发电机，解决了哈秀乡移民安置点十几户灾区群众的日常用电和哈秀乡移民点指挥部办公用电问题，用爱心照亮了灾区。

玉树人民不会忘记——民间赈灾先锋工勇禄率领 50 多名穆斯林兄弟组成的抗震救灾救援队，在“一双大手”的指引下，勇往直前，哪里有险情，哪里就有他们奋不顾身的身影；山东省日照市莒县一位朴实的老大哥史学军，一个人千里迢迢从山东来到玉树灾区，为灾区群众和救援队修鞋、修表、针灸、按摩、推拿；青海省湟中县大才回族乡前沟村村民马宝祥，得知玉树地震的消息后，立即从格尔木返乡途中折返玉树灾区，无偿提供自己的挖掘机、装载机等工程机械，带着家人到玉树抗震救灾。

在玉树，有一个词叫“感恩”。3 年间，玉树人民亲眼见证了一个崭新的玉树拔地而起，于是他们将“感恩”二字刻在墙上、写在牌匾上，更将这两个字深深地刻在心里。

走进玉树州民族中学，教学楼、实验楼、图书馆、体育馆、塑胶跑道、足球场等一应俱全。在这个设施一流的学校里，每一栋教学楼都有不同的名字，其中一栋就叫“感恩楼”。

玉树人民时刻不忘党的恩情、时刻不忘祖国的温暖、时刻不忘人民子弟兵的奉献、时刻不忘全国人民的关怀，一定以顾全大局、维护大局、服务大局的高度政治责任感和强烈历史使命感，自觉地把知恩之心、感恩之情转化为自强自立、奋发进取的强烈愿望，转化为自力更生、艰苦奋斗的优良作风，转化为埋头苦干、重建家园的实际行动，不等不靠、不拖不推，勇闯难关、敢打硬仗，全力推进灾后重建和发展的伟大进程。

第一章 震前风貌

玉树大地震重灾区，位于玉树藏族自治州玉树县，地处玉树藏族自治州东部，东和东南与西藏自治区接壤，西南与本州囊谦县为邻，西和杂多县毗连，西北与治多县相连，北和东北与曲麻莱县、称多县以及四川省相望。全县辖五乡三镇，有藏族、汉族、回族等民族，其中93%是藏族，是省内藏族人口分布最集中的地区。历史悠久的结古镇是州政府、县政府所在地，自古以来就是唐蕃古道上的交通、军事、贸易重镇，也是玉树藏族自治州政治、经济、文化的中心。

全境地形以高原为主，西北高、东南和东部低，境内海拔5000米以上的山峰有951座，大部分终年积雪。地形地势东临川西山地，南接横断山脉北段，西近高原主体，北靠通天河，纵跨长江与澜沧江两大水系，是两大流域的分水岭。地形以高山峡谷和山原地带为主，间有许多小盆地和湖盆。

玉树县属典型的高原高寒气候，年温差小，日温差大，全年无四季之分，只有冷暖两季之别，是一个以牧为主、农牧结合的半农半牧地区。有耕地4873公顷，可利用草原116.3万公顷，森林2.9万公顷。主要矿产资源有金、银、铅、锌、砂金等。有虫草、川贝母、大黄、羌活等400余种药材和百余种野生动物，其中16种被列为国家重点保护野生动物。经济以牧业为支柱，农牧结合，主产牦牛、犏牛、绵羊和小麦、青稞、马铃薯等，“西宁毛”为名特产品。与称多、杂多、治多、囊谦、曲麻莱5个县和西宁市通公路。

众志成城　抗震救灾

图片说明

震前结古镇全景

玉树县历史悠久，文化遗产丰富。人文景观主要有格萨尔广场、晒经台、勒巴沟岩画、嘉那嘛呢石经城等，自然景观有巴塘热水沟、隆宝滩国家级自然保护区、巴塘草原、泞吉湖等，藏传佛教寺院主要有世界三大藏传佛教佛塔之一的藏娘佛塔及桑周寺、创建于12世纪中叶的当卡寺、玉树北部地区萨迦派主寺结古寺、唐蕃古道重要文化遗存之一的文成公主庙和因修建文成公主庙而享有盛誉的禅古寺等。玉树县有着丰富而独特的民族文化，格萨尔文化、藏娘唐卡艺术、康巴服饰文化等多姿多彩，尤其是民间歌舞更为著名，是玉树藏族人民生活中不可分割的重要部分，不论是农闲还是节日，或是重要的宗教庆典，都少不了歌舞的表演与助兴。玉树藏族歌舞种类繁多，有伊舞、卓舞、热巴舞、热伊舞、锅哇等，而每一种类中的曲调多的有三四百种，少的也有几十种，可谓琳琅满目、美不胜收，具有极高的艺术价值和民俗研究价值。

第一节　震前资源及人文环境

玉树藏族自治州是全国30个少数民族自治州中主体民族比例最高、海拔最高、人均占有面积最大、生态位置最重要的一个自治州。长江、黄河、澜沧江三大河流均发源于此，三江源自然保护区和可可西里自然保护区覆盖自治州全境，素有“江河之源”“名山之宗”“牦牛之地”和“中华水塔”之美誉。自治州首府玉树县结古镇是历史上唐蕃古道的重镇，也是青海、四川、西藏交界处的民间贸易集散地。这里有美丽宁静的隆宝滩国家级自然保护区，有近百平方千米的巴塘草原，有著名的藏传佛教寺院结古寺、禅古寺，有唐蕃古道的重要文化遗存文成公主庙，有堪称世界之最的嘉那嘛呢石经城，有青海规模最大的藏民族盛会玉树赛马会。在玉树，会说

①

话的就会唱歌，会走路的就会跳舞，被称作“歌舞之乡”。

玉树的资源十分丰富，生物资源中农作物品种主要有青稞、豌豆、马铃薯、油菜、芫根。已查明各类中药材 913 种，其中植物类药材 808 种，著名的有虫草、知母、贝母、大黄、雪莲等；有鹿茸、麝香等动物种类药材 80 种。野生动物资源有野牦牛、野驴、藏羚羊、岩羊、黄羊、白唇鹿、马鹿、金钱豹、雪豹、猞猁、棕熊等百余种，其中 16 种被列为国家重点保护野生动物。黑颈鹤、马鸡、雪鸡等鸟类品种为青海省之首，兽类品种居青海省第二。矿产资源矿种多、门类全，储量丰富，主要有金、银、铁、铅、锌、砂金及燃料矿产煤和非金属矿产黏土、石灰岩等。具有开发前景的矿产资源有：赵卡隆多金属矿，属 P 级储量；隆宝镇可漏砂金矿，属 C 级储量；巴塘乡挡托铅锌矿及岗饮铜矿等。

一、自然资源

图片说明

① 冰川
② 冰瀑

②

图片说明

① 雪山
② 雪峰——玉树马耳山

图片说明

① 云蒸霞蔚
② 夕照牧归

①

③

图片说明

①藏野驴
②高原之舟——牦牛
③藏野驴

图片说明

① 隆宝滩湿地黑颈鹤
② 鸬鹚
③ 斑头雁

图片说明

① 胡兀鹫
② 秃鹫
③ 隼

①

②

图片说明

①② 巴塘草原植物

图片说明

① 玉树县隆宝湖
② 囊谦县白扎盐场
③ 玉树州卓乃湖

①

②

图片说明

① 通天河畔

② 澜沧江源头

二、人文资源

图片说明

①康巴汉子
②藏家女孩
③节日盛装
④康巴姑娘
⑤玉树赛马会上的盛装男女

图片说明

民居

①

②

图片说明

① 赛马场上展英姿
② 玉树赛马会

图片说明

①藏戏

②③法会

图片说明

佛塔

图片说明

①②玉树歌舞

①

②

图片说明

① 云端上的经幡
② 雪域经幡

①

②

③

图片说明

① 嘛呢石堆
② 嘛呢石刻
③ 石经堆

图片说明

格萨尔说唱艺人

图片说明

① 古壁画
② 服饰
③ 首饰

图片说明

① 文成公主庙
② 结古寺

第二节　震前基础设施与城镇建设

玉树藏族自治州是长江、黄河、澜沧江的发源地，境内河网密布、水源充裕，素有“江河之源”之称。震前建有22座小型水电站，装机容量9527千瓦，年发电量为2500万~2700万千瓦时。结古镇电能较为集中，有东方红、禅古、西杭3座电站，保障着州内6.9万人的饮水安全问题，基本形成了蓄、引、提、防兼顾，大、中、小工程并举，集防洪、灌溉、供水、水保、排污治污于一体的水利网络。已基本形成以结古镇为中心，以国道主干线为主骨架，以县、乡公路为辐射的公路交通网。青藏公路和国道214线直达西宁、兰州、成都，州至县干线公路910千米，县、乡公路1027千米，专用公路127.9千米。邮政网点遍布全州6个县。固定电话和移动通信网络基本覆盖全州乡镇所在地和附近村镇，电话交换机总容量达20000门。结古、香达、称文、歇武等城镇基础设施建设初具规模，商业、文化、广播、电视、卫生、教育、旅游等事业健康发展。极重灾区结古镇有68家行政、企事业单位，以及1座寺院、5所学校、2所医院，是玉树地区的商贸重地，有康巴风情街、玉树州博物馆、滨河休闲区、三江源商场、结古商城、玉树宾馆等主要场所。全州有各级各类学校174所，在校学生64314人；有幼儿园4所。医疗服务体系和疾病预防控制体系基本完善，医疗、卫生防疫、药品检验、妇幼保健等机构遍布全州。餐饮、影剧院等休闲、娱乐场所随处可见。2010年全州广播站共7个，电视接收转播站7个，收听广播人口为31.89万人，覆盖率85.51%；收看电视人口为27.34万人，覆盖率73.3%。

一、城乡设施

图片说明

玉树县上拉秀乡加吉娘生态移民新村

图片说明

称多县拉布乡

①

图片说明

① 玉树城市建筑群
② 玉树州质量技术监督局办公楼
③ 玉树州中级人民法院办公楼
④ 玉树州人大、政协办公楼

图片说明

格萨尔广场

图片说明

① 东风村农民在大棚里收割芹菜
② 玉树军分区官兵在大棚里摘西瓜
③ 收割青稞
④ 巴塘牧场

二、交通设施

①

②

图片说明

①② 通向玉树的公路
③ 2009 年 8 月 1 日，玉树巴塘机场竣工首航
④ 玉树巴塘机场停机坪

三、邮政通信设施

①

②

图片说明

① 中国移动通信铁塔

② 中国电信营业厅

四、水利电力设施

图片说明

① 电网高塔作业
② 电站变压设备
③ 玉树电力机房

图片说明

扎曲河堤防

第二章
灾区灾情

玉树地处青藏高原块体的中部，该板块的地质活动较为强烈。“4·14”玉树大地震发生在甘孜—玉树断裂带，断裂整体呈北西西向展布。此次地震断层面近乎直立，为左旋走滑运动，地震断层的破裂时间为20~23秒，破裂长度为60千米左右。地震发生地点靠近城镇。地震震中位于玉树县城附近，震害现象沿活动断裂呈带状分布，穿过县城，烈度达到Ⅸ度，主震震级达里氏7.1级，最高烈度Ⅸ度强，震源深度14千米，余震3000多次，地震波及的范围约3.59万平方千米，其中极重灾区和重灾区面积约8022平方千米，造成2698人遇难（含失踪270人），直接经济损失228.5亿多元。

由于当地经济发展水平较低，灾区设防薄弱，房屋结构类型以土木结构、砖混结构、砖木结构为主。其中，农村地区大部分为土木结构房屋，城镇房屋土木结构占70%以上，砖木结构和砖混结构约占20%，钢筋混凝土框架结构约占10%。抗震性能差，地震造成大量房屋毁坏，90%的房屋倒塌，大量人员被埋。极重灾区结古镇的土木、砖木结构房屋几乎全部倒塌或严重毁坏，砖混结构房屋80%以上倒塌，框架结构房屋约20%倒塌，楼房倒塌过半，机关、学校、医院等公共设施和供电、供水、通信等基础设施大面积损毁。通往结古镇的主要通道国道214线多处断裂沉陷、桥涵坍塌，一些地方山体滑坡崩塌，生态环境遭受严重破坏。玉树地震共造成27个乡镇、约24.7万人受灾。城镇房屋、基础设施和生命线工程遭受严重破坏，供电、通信一度中断。

地震发生在高原山区，平均海拔4000米以上，高寒缺氧、地形复杂，灾区地处边远、交通不便，救援队伍高原病多发，救灾人员物资运送极为困难；受灾区域集中、地带狭窄，大规模救援行动难以展开。玉树地震灾害破坏之严重、人员伤亡之多、救灾难度之大，是青海历史上空前的。

众志成城　抗震救灾

第一节　震区地质

玉树地质构造属于巴颜喀拉块体，该块体地震比较活跃，中强度以上的地震在历史上持续不断，因此玉树地震不是一个偶然现象。1996 年喀喇昆仑山发生过 7 级地震，1997 年西藏玛尼发生过 7.5 级地震，2001 年青海昆仑山口西发生过 8.1 级地震，2008 年 3 月新疆于田发生过 7.3 级地震，加上 2008 年汶川 8.0 级特大地震和这次玉树地震，都是围绕巴颜喀拉块体的边界发生的。玉树地震地表破裂基本确定距离县城西北方向 11.5 千米的隆宝镇郭央烟宋多为宏观震中，位于国家地震信息网公布的仪器震中东约 30 千米，坐标为北纬 33°03′11″、东经 96°51′26″。国土资源部专家组确定地震地表破裂断续分布长度约 23 千米。大致可分为 3 段：西段为玉树县赛马场以西，长约 16 千米，表现为左旋走滑为主兼逆冲，最大水平走滑位移为 175 厘米，垂向断距达 60 厘米；中段主要在城区南部，长约 3 千米，由多条“雁列式”分布的地表破裂组成，表现为左旋走滑性质，该段地面最大水平位移约 30 厘米；东段从玉树县城扩展到结古镇禅古村，长约 4 千米，表现为走滑—逆冲型，局部以逆冲为主，地面垂直断距约 60 厘米，水平位移约 30 厘米。城区没有发现大的破裂带。

一、震区地质构造图

据中国地震台网中心研究员孙士鋐分析，从地质构造上看，玉树历史上曾多次发生地震。玉树地处青藏高原块体的中部，该板块的地质活动较为强烈，中强度以上的地震在历史上持续不断。

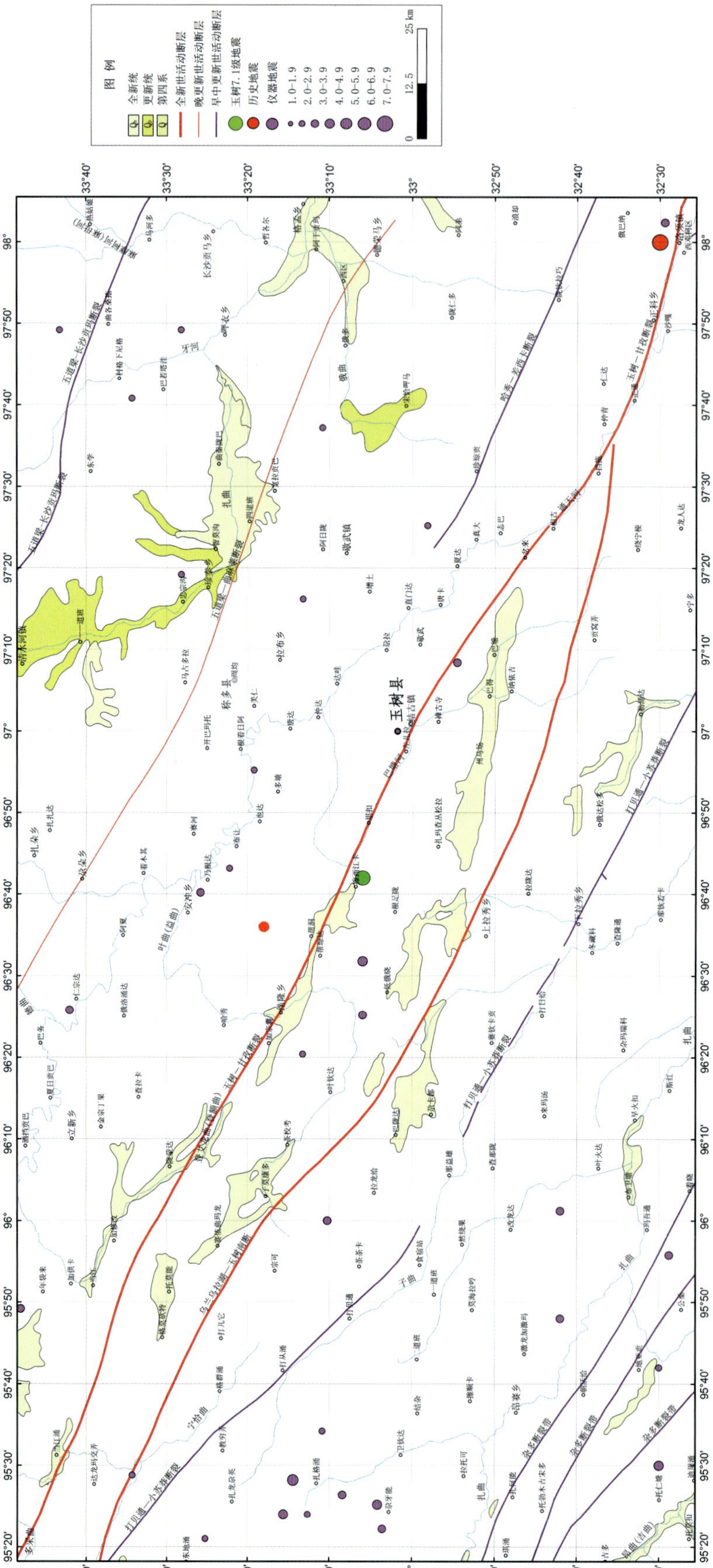

国家地震活动断层研究中心
中国地震局地质研究所

图片说明
2010年4月14日玉树7.1级地震构造图（一）

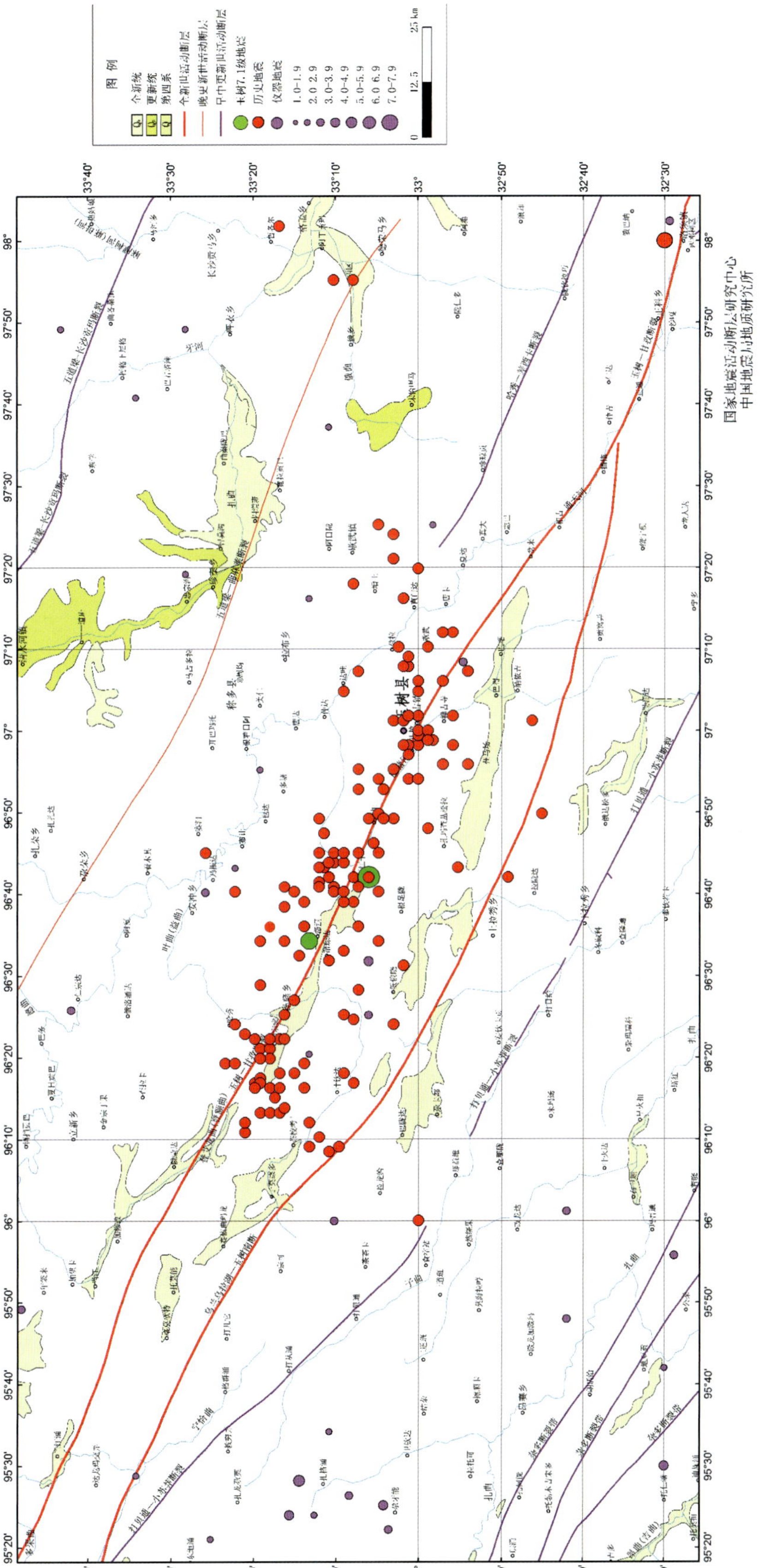

图片说明　2010年4月14日玉树7.1级地震构造图（二）

二、震后地形地貌

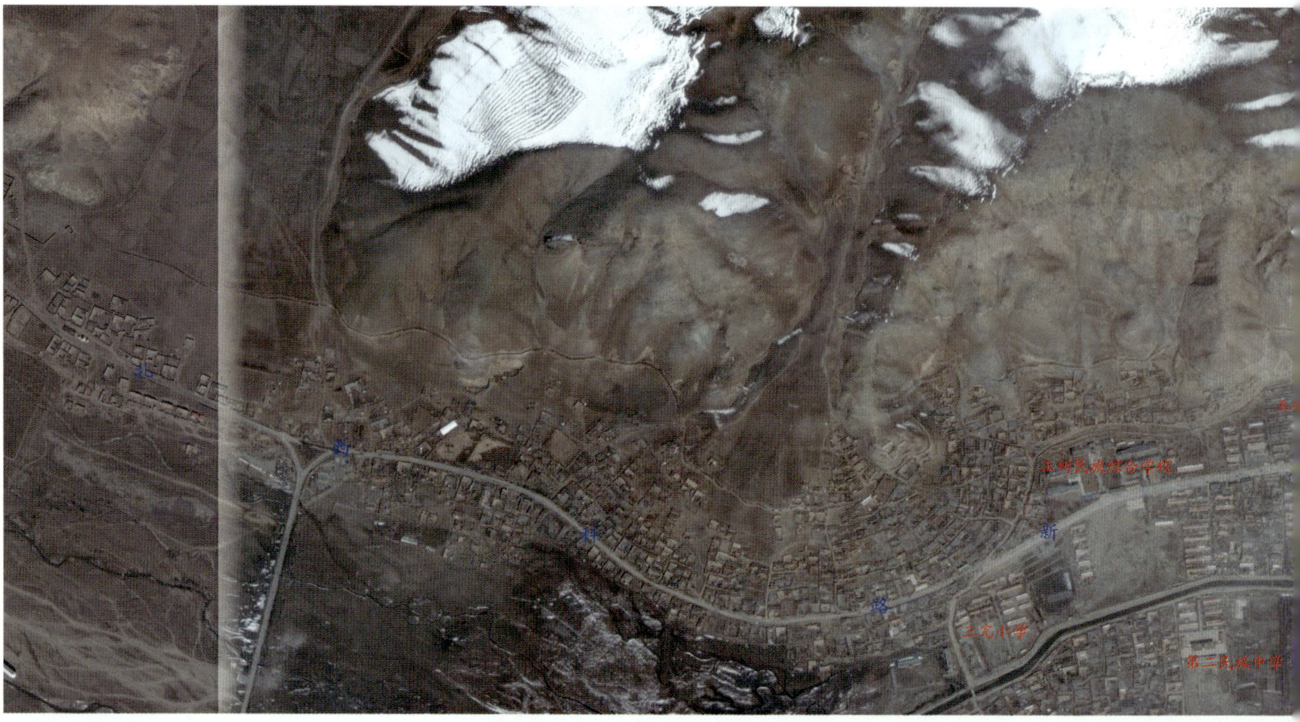

中国科学院对地观测与数字地球科学中心

数据获取时间：2010年4月14日下午3时30分

图片说明

① 玉树县地震灾前遥感影像图

② 玉树县地震灾后航空影像图

三、玉树震区图

图片说明

结古镇震后卫星影像图

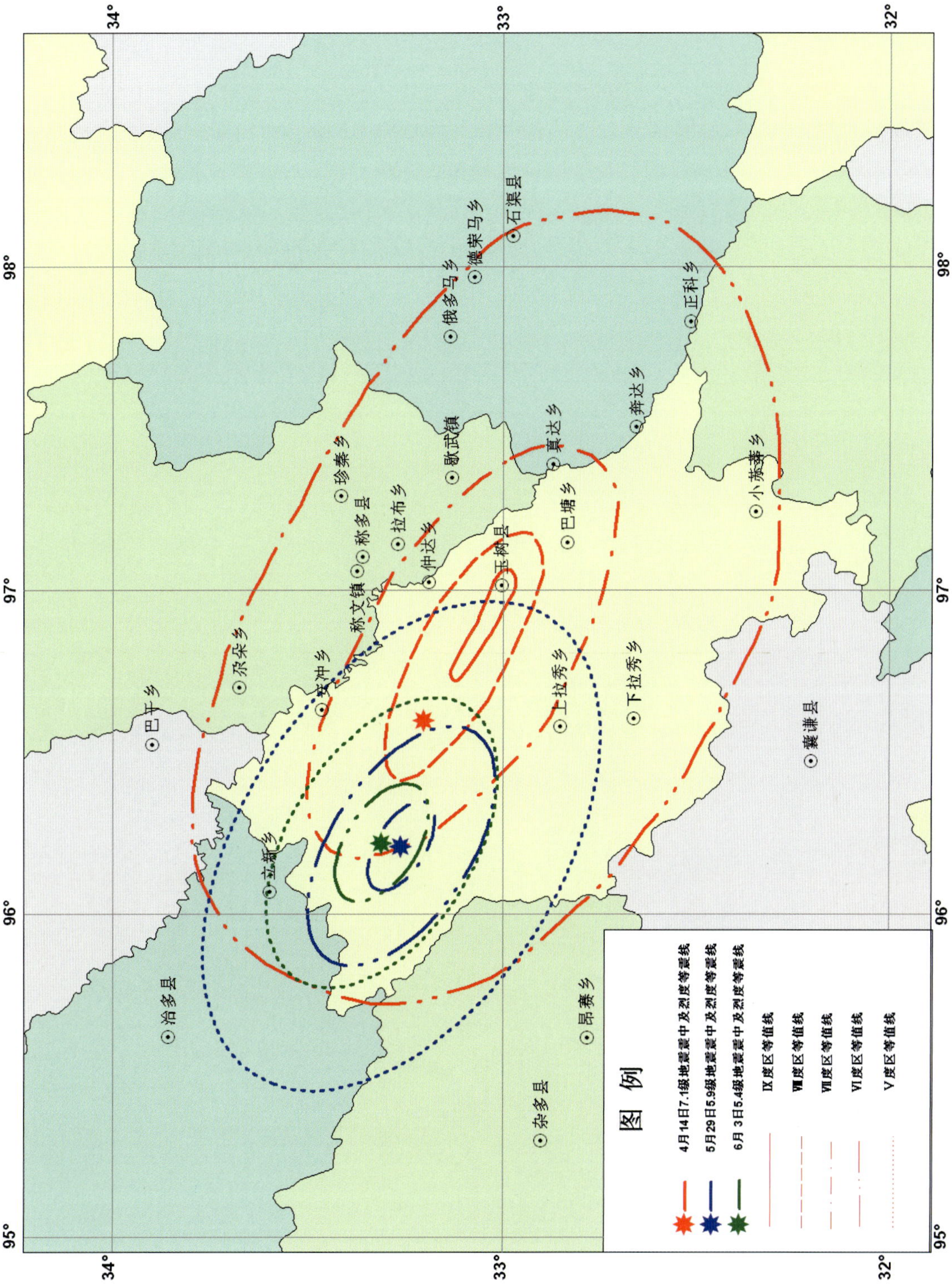

图片说明

玉树大地震烈度图

图片说明

4 月 28 日，中国科学院地质与地球物理研究所研究人员在紧邻玉树县结古镇的山上测量地震断层导致的裂缝

图片说明

① 甘达村地裂
② 草原植被遭受到严重破坏

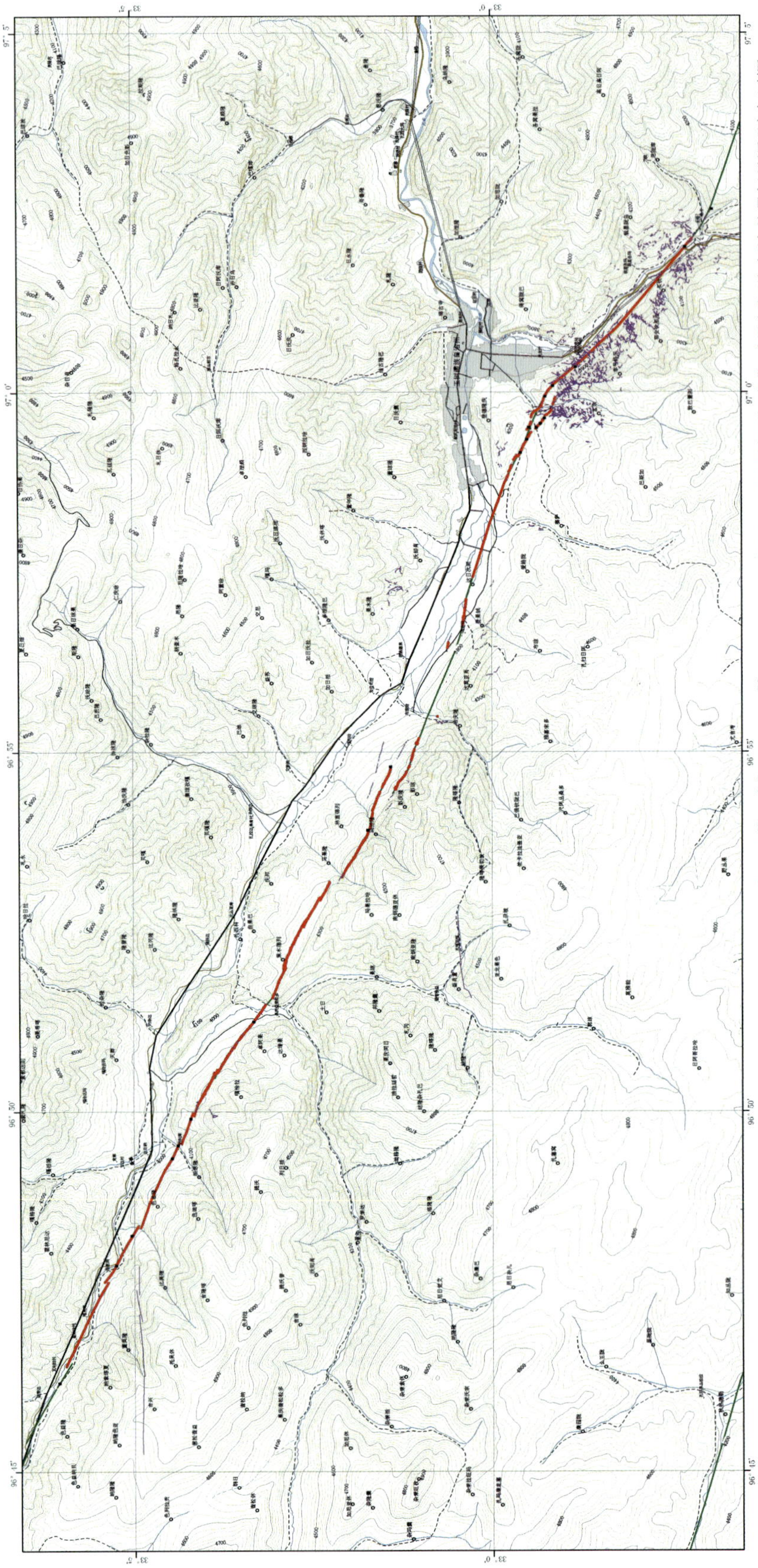

图片说明

玉树县结古镇地震地表破裂带与活动断层分布图

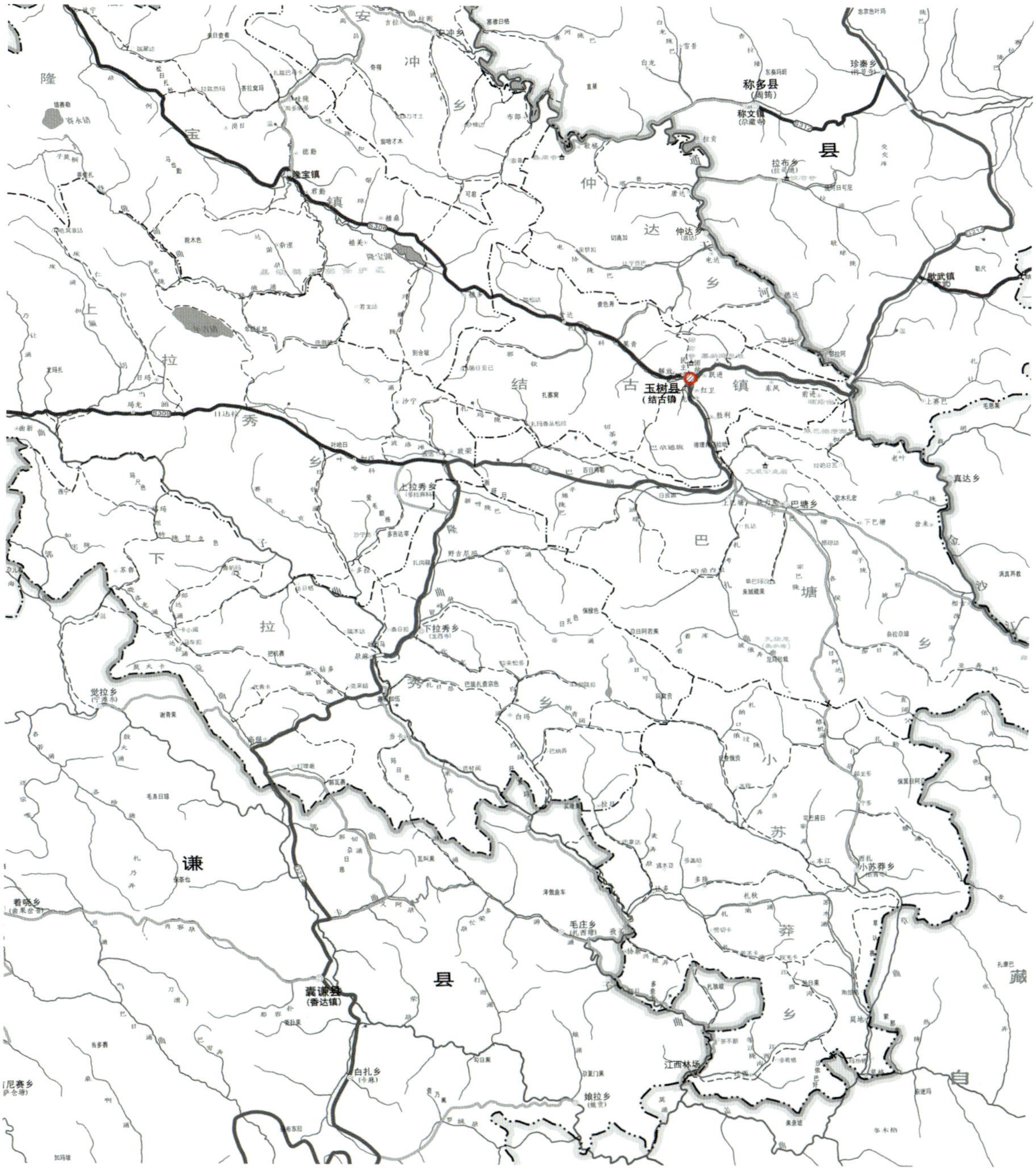

图片说明

玉树受灾范围示意图

①

②

③

图片说明

① 玉树大地震引起西杭电站引水渠边坡滑坡渠道堵塞
② 暗井周围下陷
③ 水管站围墙下沉开裂

图片说明

① 水渠边坡垮塌
② 雪山雪崩
③ 地震引起西杭电站引水渠边坡滑坡、渠道堵塞

图片说明

玉树灾区地质灾害风险图

四、地震波记录

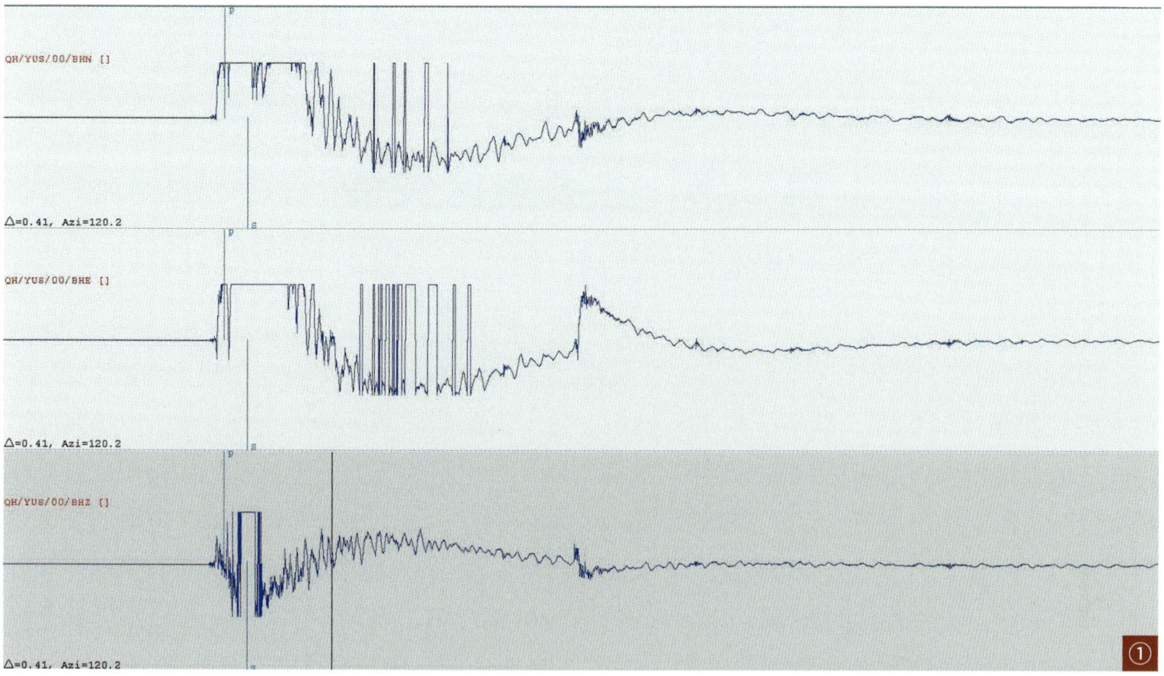

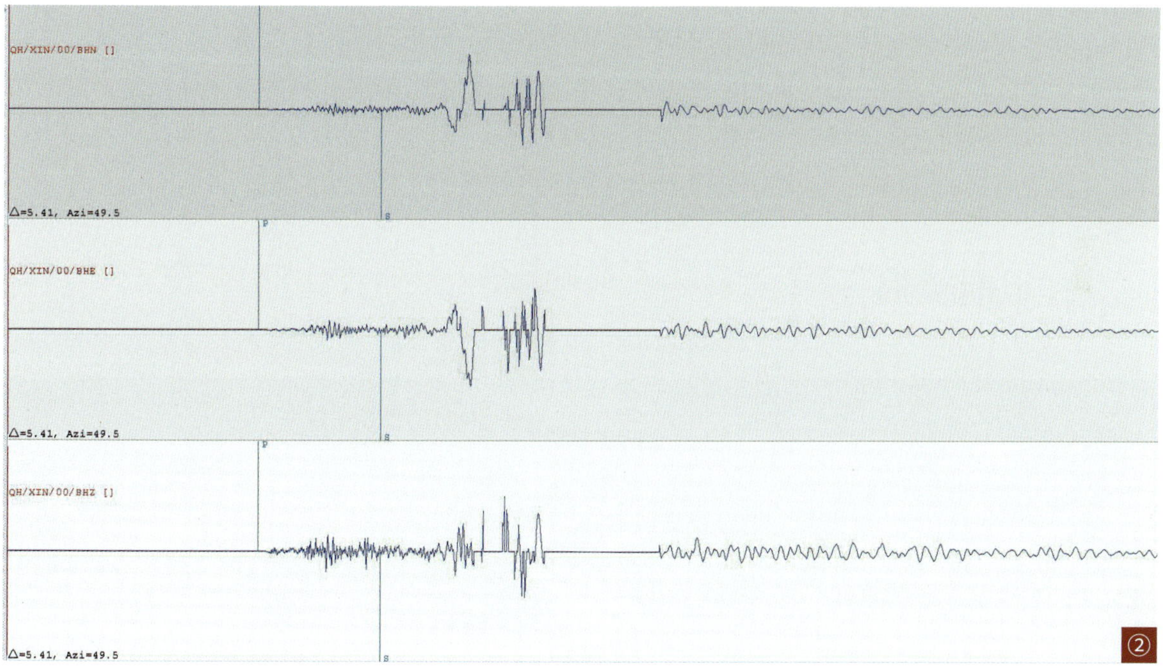

图片说明

① 结古台地震波记录

② 西宁台地震波记录

第二节　主要震区灾情

玉树大地震，极重灾区结古镇和重灾区隆宝镇、仲杰乡、安冲乡、巴塘乡等损失惨重。砖混结构房屋80%倒塌，框架结构20%倒塌。由于灾区居民点的分布与发震构造方向一致，因此造成破坏较大，沿江、沿河谷地带房屋震害破坏严重，现场通信全部中断，科玛水电站引水渠、柴古水电站出现裂口，严重威胁下游河谷地区安全。地震引发多处山体严重滑坡，滚落的巨石随处可见。地震造成交通设施、道路、桥梁等垮塌，州府结古镇通往机场的道路被阻断，部分路面裂缝。公路两边的民房、加油站、寺庙等垮塌严重，绝大多数成为一片废墟。极重灾区结古镇内玉树宾馆地面出现裂缝，州委办公楼四楼会议室、州国税局办公楼等机关建筑倒塌，州邮政局营业办公综合楼、中国电信玉树分公司通信楼、玉树县法院办公楼等严重受损，沿街许多商店铺面损毁，倒下的建筑物将许多停在楼下的车辆砸毁掩埋。科教文卫体设施遭到严重破坏，学校电教楼、教学楼损毁严重，州职业学校等中小学校舍倒塌，文物旅游设施损毁，在建的让娘寺寺顶被震倾斜。地震还使电力设施、输电线路严重损毁，将配电设备夷为平地。

一、山体受损

图片说明

玉树县结古镇周边山上的裂缝

二、公用设施受损

①

②

③

图片说明

① 在玉树大地震中受损的三江源自然保护区纪念碑
② 科玛水电站引水渠裂缝
③ 损毁的三江源油城加油站

三、机关设施受损

图片说明

① 玉树县法院办公楼受损
② 玉树州国税局办公楼倒塌

四、交通设施损毁

①

②

③

图片说明

①②地震造成路面裂缝

③ 垮塌的房屋及断裂的道路

五、电力设施损毁

①

②

③

图片说明

①②③ 被震毁的电力设施

六、电信设施受损

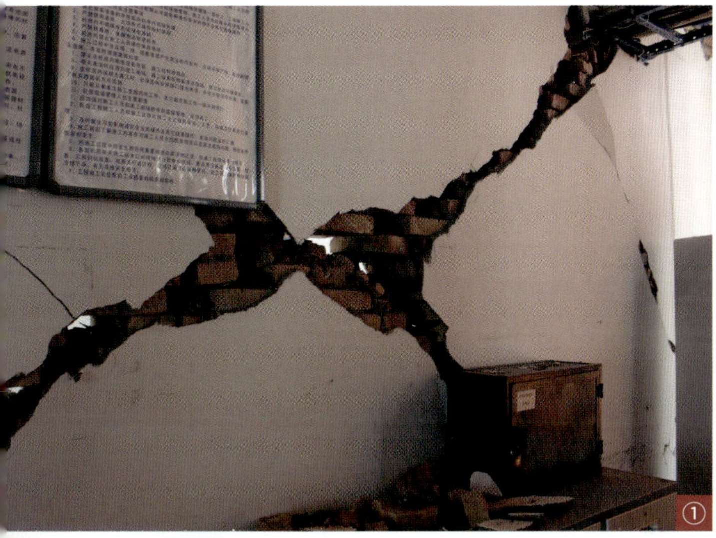

图片说明

① 中国电信玉树分公司通信机房受损
② 中国电信玉树分公司通信生产楼受损
③ 中国电信玉树分公司通信楼受损
④ 玉树州邮政局营业办公综合楼墙体受损

七、教育设施损毁

图片说明

① 损坏的教学楼
② 损毁的电教楼

八、文物设施损毁

①

②

图片说明

① 被列为玉树大地震遗址博物馆的受损房屋

② 扎西科村东仓《大藏经》珍藏馆被震毁

图片说明

① 唐卡等文物损毁严重
② 经墙倒塌
③ 让娘寺主殿墙体受损
④ 佛塔倒塌
⑤ 在建的让娘寺寺顶被震倾斜

图片说明

① 损毁的禅古寺
② 损毁的寺院
③ 寺院废墟

九、畜牧业损毁

①

②

③

图片说明

① 被压死的马匹
② 守护废墟的藏獒
③ 损毁的牛棚

十、居民区损毁

图片说明

①②③扎西科村被震毁的民房

图片说明

①②废墟

图片说明

地震现场

图片说明

扎西科村被破坏的场景

图片说明

失去家园的老人

图片说明

①②隆宝镇被震毁的民房

①

②

图片说明

① 倒塌的民居
② 地震将民居夷为平地

第三章
抢险救援

地震发生后，从中共中央、国务院到灾区各级党委、政府，从人民解放军、武警部队和民兵预备役人员到公安干警和消防官兵，从地震救援专业队伍到广大干部群众，从各级各类企业到社会组织，举国上下，紧急行动。

截至 4 月 17 日，救援人员累计营救被困群众 1.7 万人，其中从废墟中救出 6870 人、救活 6110 人。在灾区各级党委、政府、驻军部队、武警官兵和广大群众开展的地震早期自救、互救中，被救人员占抗震救灾被抢救总人数的 80%。

截至 4 月 20 日 16 时，地震灾区累计救治伤员 9145 人，转运伤员 2381 人。伤员转运过程中未发生一例死亡。

中央财政和青海地方财政紧急下拨救灾资金，民政部门第一时间调拨物资，用于灾区的抢险救灾，确保灾区群众有地方住、有饭吃、有干净水喝、有病能医。

来自国内外、各行各业的志愿者，自发自费赶到灾区，哪里有险情，他们就出现在哪里；哪里有困难，他们就战斗在哪里。

各路专业抢修队伍冒着高寒缺氧、余震塌方滚石等危险，日夜奋战在抢修基础设施的第一线，保障了灾区群众的基本生活需求。

公安干警一边奋力抗震救灾，一边维护灾区社会治安稳定；各相关部门积极组织力量，迅速开展次生灾害检测预警与处置工作；各级政府、社会组织、心理援助者及时展开灾区群众的心理重建工作，帮助其重建精神家园。

军民接力、各族同心，创造了一个又一个抗震救灾的人间奇迹，折射出军民团结、民族团结的强大力量，谱写出一曲曲感天动地、共克时艰的动人之歌。

众志成城　抗震救灾

第一节　抢险营救

地震发生后，玉树军分区、玉树县人民武装部、结古兵站和某通信总站的官兵，边自救边投入抢救生命的战斗中。兰州军区某独立步兵团、青海省军区独立团、解放军第 4 医院纷纷紧急出动，赶赴灾区。震后几个小时内，武警总部连续下达 3 个紧急通知和 2 支部队开赴灾区的命令。第一时间，武警青海总队 3200 名官兵从西宁和格尔木两路并进，向灾区摩托化开进；地震当天下午，空军 3 架伊尔 -76 运输机在 14 分钟内相继起飞，奔赴灾区，和时间赛跑，与死神抗争。这是人民空军又一次展开非战争军事行动史上大规模的空运行动。人民解放军、武警部队、消防官兵、国家救援队、青海省内救援组织及志愿者等各路大军，一支支番号不同的队伍，各种救援力量，克服重重险阻，分别从陆路、空中通道向玉树灾区突进，争分夺秒搜寻生命迹象、抢救伤员、转移群众、抢救财物、清理现场。截至 4 月 18 日 22 时，解放军和武警、消防部队共出动兵力 12693 人，其中 12535 人到达救援一线。

一、突进灾区

图片说明

① 直升机飞向玉树灾区
② 各路救援队伍源源不断抵达地震灾区

图片说明

①77363部队千里驰援玉树地震灾区

②第二炮兵部队接受命令紧急赶往灾区

图片说明

① 武警战士赶往现场紧急救援

② 武警水电部队官兵赶赴极重灾区结古镇紧急救援

图片说明

① 68063 部队抗震救灾誓师大会

②救灾队伍集结

二、展开救援

图片说明

①4月14日，玉树军分区官兵全力抢救受灾群众

②解放军官兵紧急转移重伤伤员

图片说明

① 解放军战士争分夺秒抢救生命

② 解放军战士抢险救援

①

②

③

图片说明

① 解放军战士搜寻被埋群众

② 兰州军区官兵给受灾群众提供热菜热饭

③ 解放军战士从废墟中扒出被埋压的一位妇女，抬着她迅速送往医院救治

图片说明

①4 月 16 日，总后青藏兵站部战士紧急转运灾区受伤小孩
②4 月 19 日，玉树军分区官兵搜救被埋人员
③解放军官兵与时间赛跑，全力救治伤员

①

②

③

图片说明

① 兰州军区救援队现场搜救
② 第二炮兵高原某部抗震救灾救援队在极重灾区结古镇开展救援行动
③ 86060 部队冒雪搭设救灾帐篷
④ 86060 部队救灾官兵风餐露宿

①

②

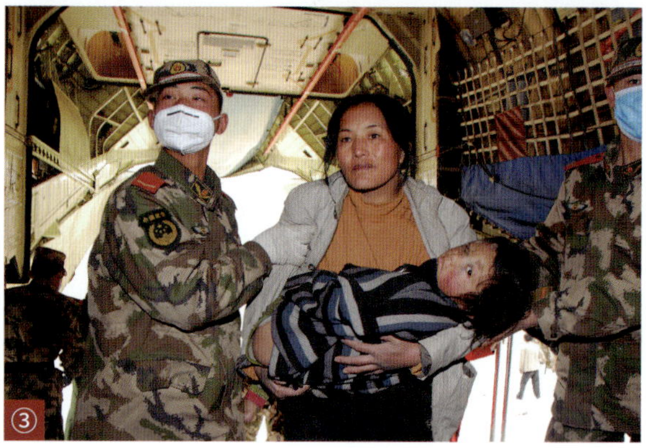

③

图片说明

① 武警医务人员向受灾群众分发预防疾病的药品
② 4 月 16 日，武警官兵在扎西科村成功营救出一名受伤藏族妇女
③ 武警战士护送伤员安全转移

图片说明

武警战士在结古镇西杭村救出一名小学生

①

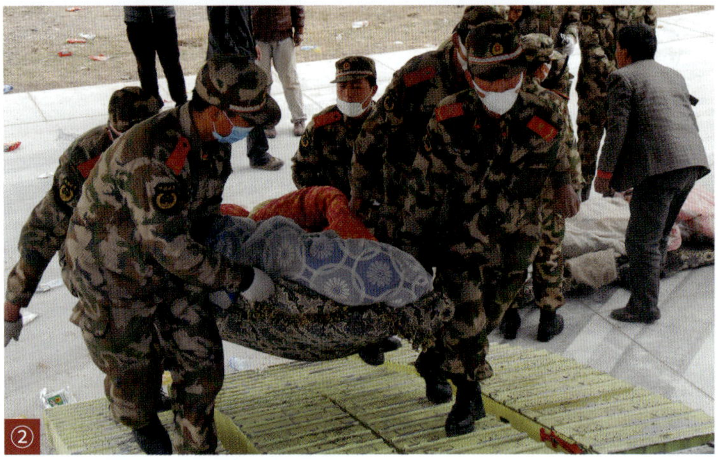
②

③

图片说明

① 武警官兵将重伤员背送到现场医疗点抢救
② 武警战士护送伤员转移
③ 武警战士护送受伤的藏族阿妈就近治疗

图片说明

武警战士背着受伤群众走下飞机

①

图片说明

①②③武警官兵清除救援障碍

图片说明

① 武警部队某部通信尖兵连在灾区现场救援

② 武警部队某部抗震救灾人员在结古镇民主路帮助灾区群众扒挖财物

图片说明

① 武警青海总队玉树支队官兵开展搜救

② 武警战士救起被埋在废墟下的一名国税干部

图片说明

① 武警玉树支队的战士在废墟里救助被困群众
②③ 武警官兵搜救现场
④ 武警官兵与当地干部一同撬搬沉重的水泥预制板

图片说明

① 青海消防官兵奋力抢救被困者
② 青海消防官兵夜以继日奋战在抗震救灾一线

①

②

③

图片说明

①②③西宁市消防战士进行全面搜救

①

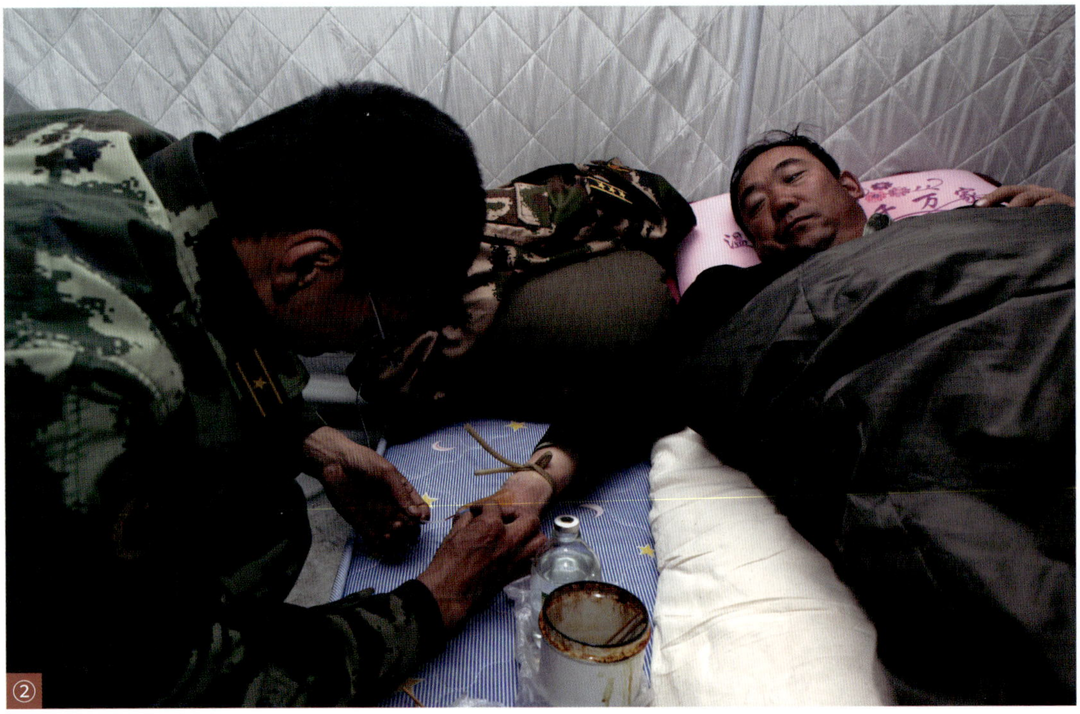
②

图片说明

① 玉树州消防官兵日夜奋战在救援现场

② 玉树州消防支队支队长康自福劳累过度被送往医疗点

图片说明

① 海东地区消防官兵引导搜救犬搜索被困群众
② 海西州消防官兵拓开废墟空隙救人

图片说明

① 消防官兵竭尽全力撬起水泥预制板搜救幸存者
② 海西州消防官兵抢救被困群众

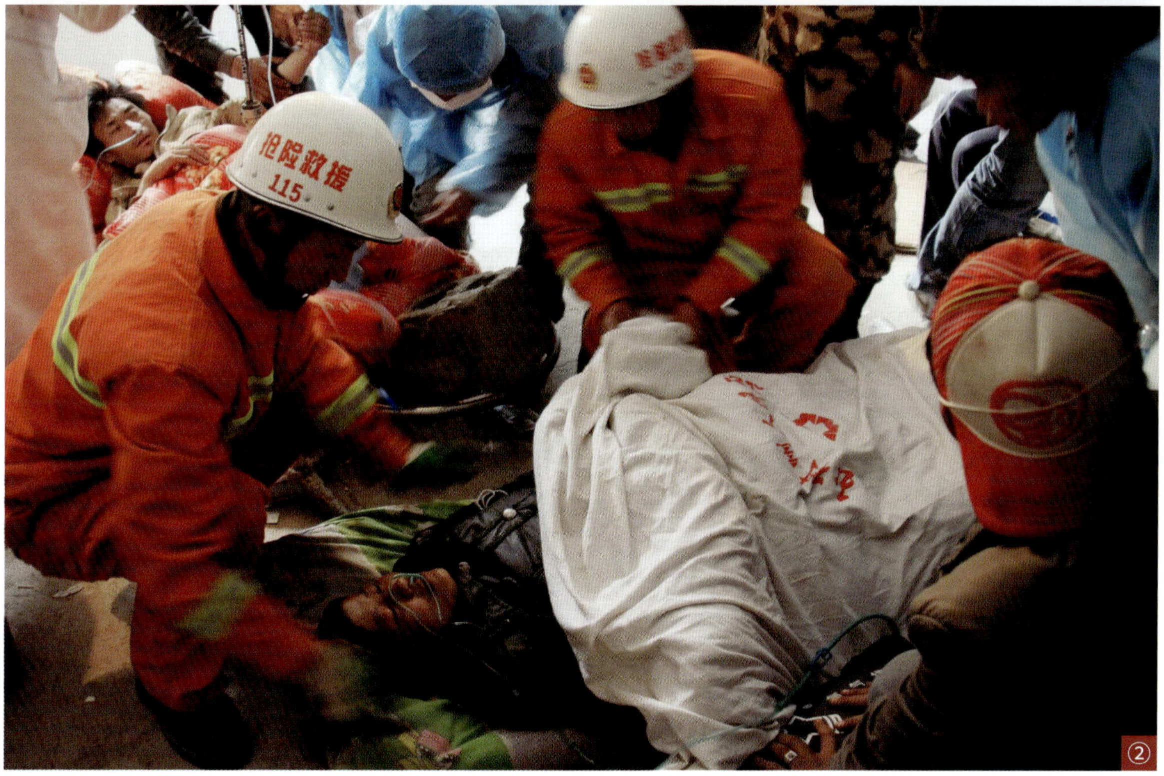

图片说明

① 消防官兵在废墟中搜救出一位被困人员
② 消防官兵和医疗人员救治伤者

①

②

③

图片说明

① 消防官兵用破拆工具为搜救生命开辟通道
② 为砸伤脚的消防战士包扎伤口
③ 高强度的救援使消防战士严重缺氧

图片说明

① 海南州消防官兵从废墟中救出一位伤员

② 消防官兵仔细辨别搜索生命迹象

图片说明

① 消防官兵争分夺秒从废墟中搜救被困群众
② 消防官兵抬起钢筋水泥压块

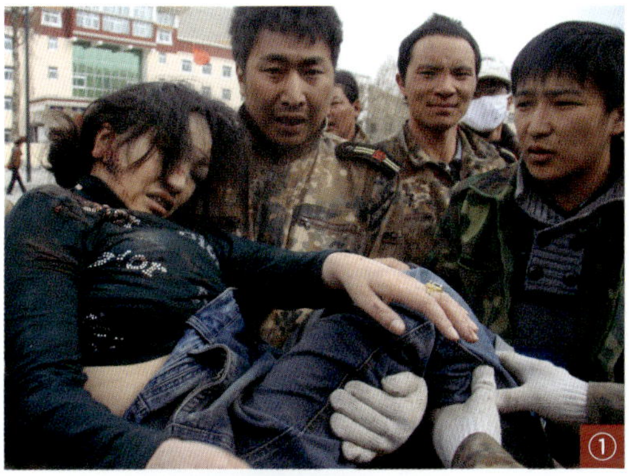

图片说明

①4 月 14 日，玉树当地民兵从废墟中救出一名受伤妇女

②玉树州公安局民警拉巴东周五天五夜奋战在抢险救援和维持社会治安第一线

③武警和民兵在救援现场搜救伤员

④特警救出了一名重伤员

①

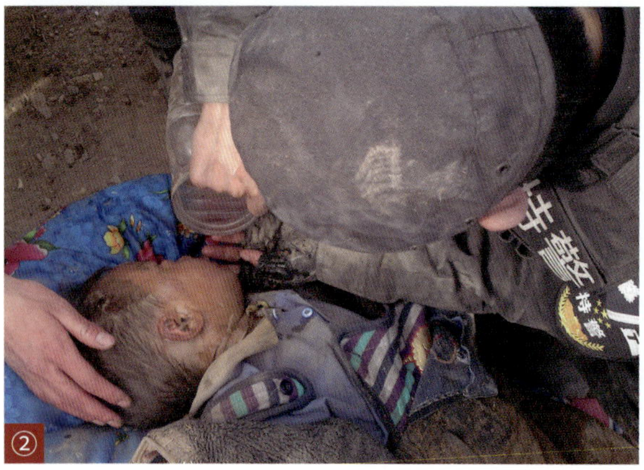
②

③

图片说明

① 特警和学校师生合力撬抬水泥大梁，搜寻生命
② 特警给救出的孩子喂水
③ 果洛州玛多县公安民警在灾区维稳救灾，帮助灾区人民搭建临时帐篷

图片说明

① 特警救出一名受困儿童
② 称多县检察院干警与解放军战士一道在废墟中抢救生命
③ 果洛州特警为藏族群众挖出贵重物品

图片说明

①② 特警抢救伤员

①

②

图片说明

① 农发行青海省分行系统抢险队在地震现场救人

② 青海省建设系统抗震救灾工程救援队现场救援

①

②

图片说明

① 特警抢救伤员
② 青海地税救援队在扎西大同村搜救

图片说明

① 青海民营企业救援队在现场清理废墟

② 天峻县救援队在玉树县第二民族中学抢救师生及财物

③ 僧侣在废墟中救出一位被困者

①

②

③

图片说明

① 中国国家地震救援队紧急营救被压埋的人员

② 4 月 15 日 12 时，中国国家地震救援队在玉树县结古镇西北牛宾馆废墟里救出了 4 名幸存者

③ 4 月 14 日上午 10 时左右，一名被埋在禅古寺废墟下的藏族儿童被青海正平集团公司救援队救出

①

②

图片说明

① 省级安全生产矿山应急救援队现场救援

② 4 月 16 日，中国国家地震救援队现场搜救

三、转移群众

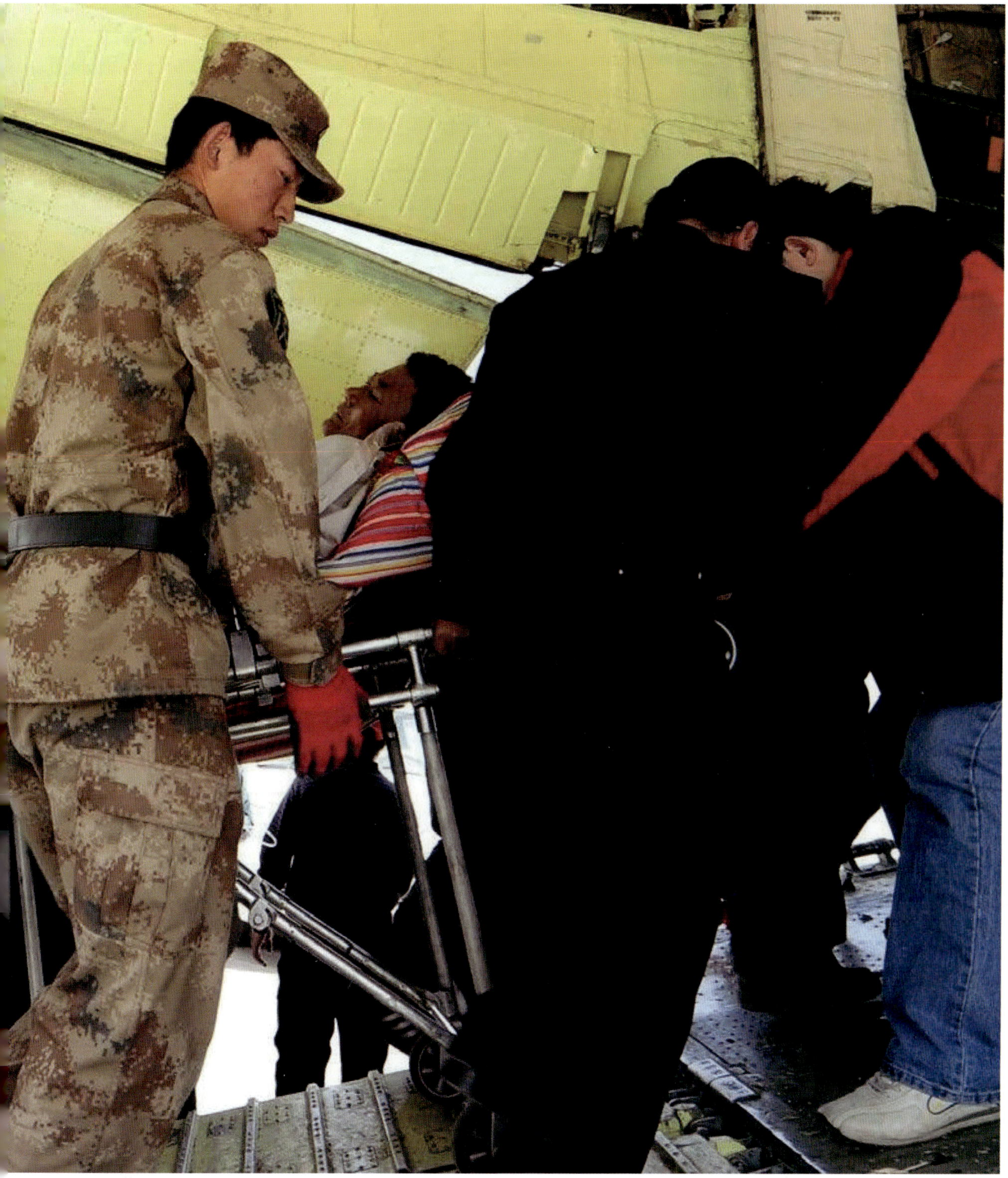

图片说明

空军部队派出飞机转送伤员

①

②

③

图片说明

① 伤员得到安全转移
② 武警战士将伤员送往医院
③ 武警官兵将救出的两名群众安全转移

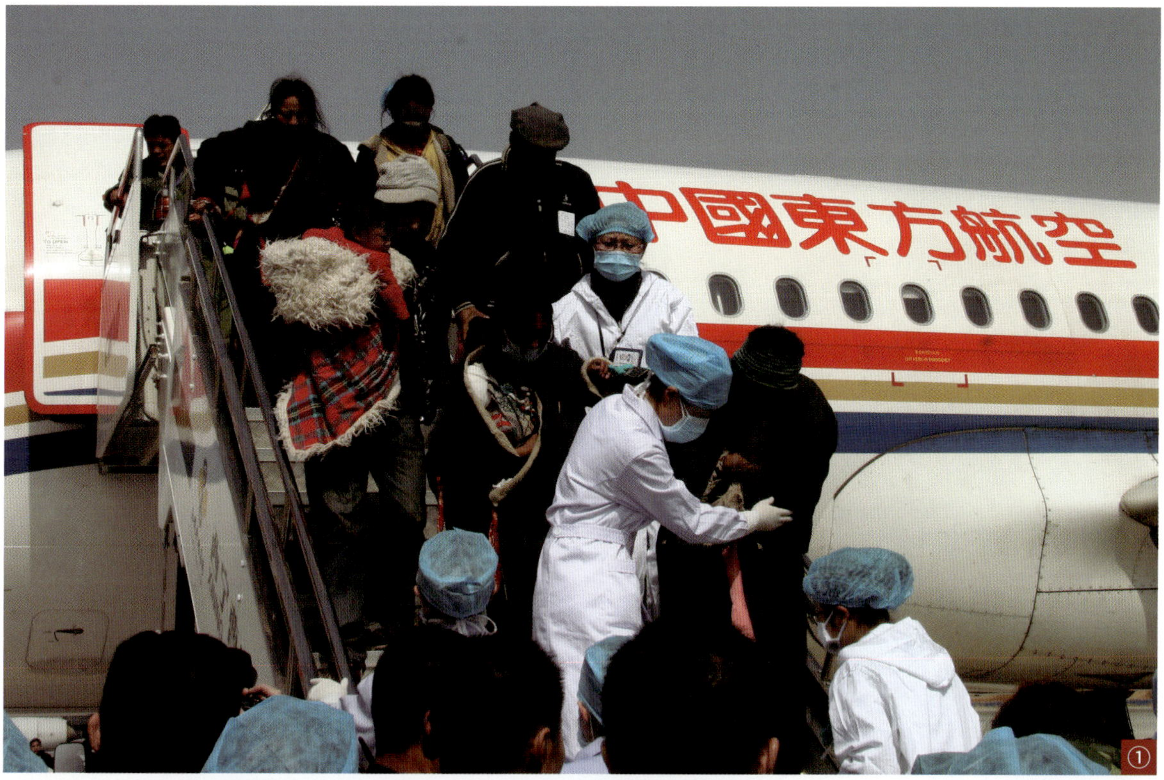

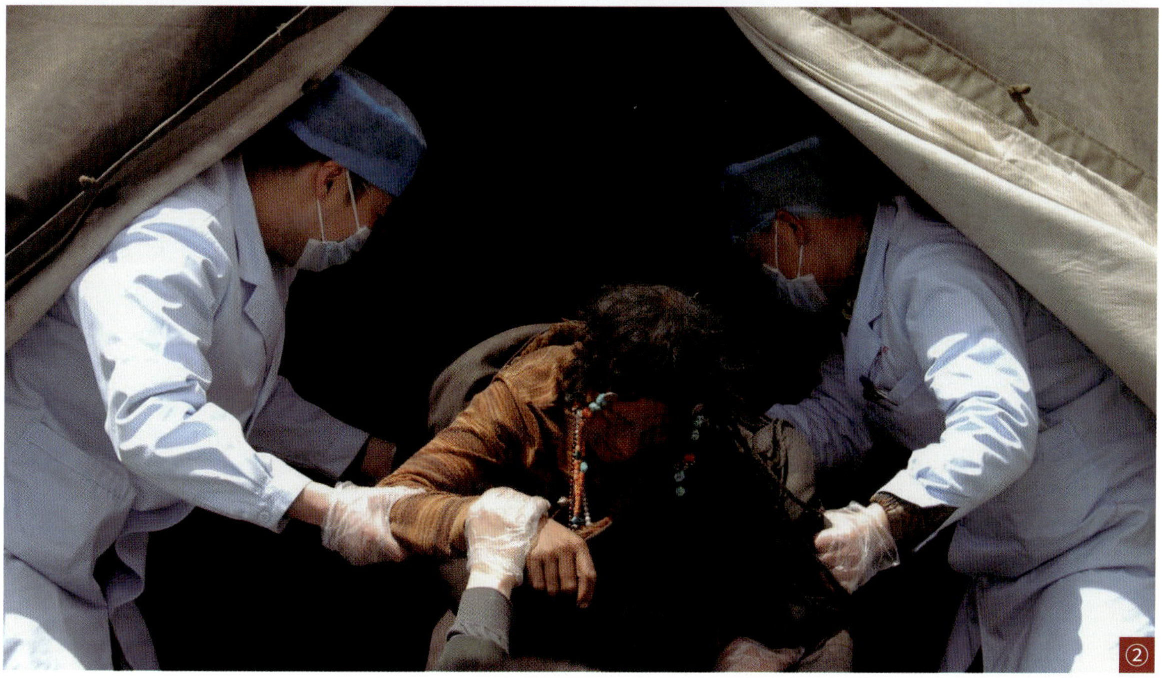

图片说明

① 受伤人员被及时转移到西宁治疗

② 得到精心治疗的藏族同胞被扶出解放军医疗帐篷

四、抢救财物

①

②

③

④

⑤

图片说明

① 在特警的帮助下从废墟中挖出保险柜
② 消防官兵为受灾群众抢挖出了大量的现金和存折
③ 一位藏族老人向救援干警竖起大拇指
④ 武警战士搬运抢救出的货物
⑤ 从废墟下抢挖出来的财物

图片说明

① 解放军官兵抢救出的财物

② 4 月 22 日，武警战士帮助牧民铁尕把家中的食物和日用品从废墟中清理出来

①

②

③

④

图片说明

① 消防官兵为灾区群众整理抢救出的财物
② 从废墟中清理出的财物
③ 4 月 17 日，义海救援队在结古镇一处废墟上搜寻财物
④ 清理废墟，搜寻财物

五、抢救文物

图片说明

① 解放军官兵将挖掘出来的金佛移交寺院负责人
② 解放军官兵在救援现场挖出了珍贵的经卷
③ 搜救人员从地下挖出了被埋文物

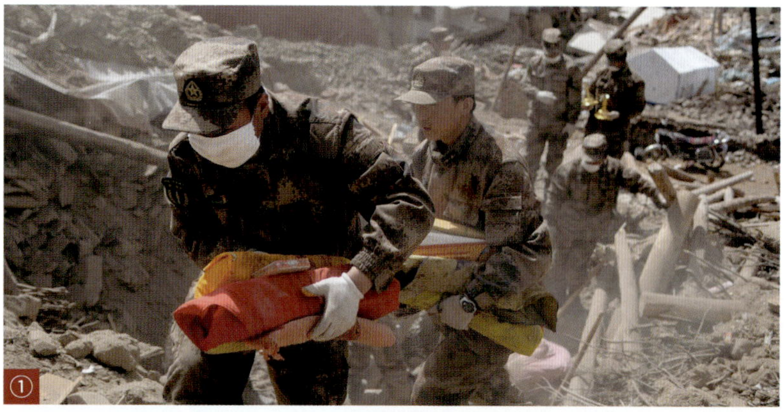

图片说明

①4月24日，解放军战士将刚挖出的经书搬离废墟
②官兵不顾危险在危房下清理佛像
③特警在清点抢救出来的珍贵文物

六、清理现场

图片说明

① 大型机械清理
② 防疫专项清理

图片说明

①②③④清理废墟，整理场地

图片说明

① 青海省投资集团桥头铝电有限公司员工在清理废墟
② 幸存受灾群众自发清理废墟
③ 清理废墟作业

图片说明

① 西部矿业集团公司赴玉树抗震救援突击队清理结古镇胜利路宾馆废墟

② 4 月 27 日，工程救援队在玉树县结古镇新寨村一处垃圾填埋点进行填埋工作

第二节　灾区自救

在地震发生后的关键时刻，在生死竞速大救援中，灾区各级党委快速反应、果断决策、有力指挥，充分发挥了领导核心作用；基层党组织紧急动员、迅速行动、有力组织，充分发挥了战斗堡垒作用；各级干部挺身而出、身先士卒、靠前指挥，充分发挥了模范带头作用；广大共产党员舍生忘死、无私无畏、勇往直前，充分发挥了先锋模范作用。

在抢险救灾的危急时刻，灾区驻地部队、武警官兵是灾区群众自救互救的主要力量。灾区驻地部队、武警官兵们视灾情如命令，迅速冲往人口密集的学校、商场、单位等地抢救群众，从废墟中挖出被埋群众，从危房中救出被困人员，硬是把一个个鲜活的生命从死神手中夺回。

在灾区各级党委、政府、驻地部队、武警官兵和广大群众开展的地震早期自救互救中，被救人员占抗震救灾被抢救总人数的80%。抗震救灾的实践证明，灾区党委、政府、驻军和群众自救互救是最直接、最有效的紧急救援手段。

图片说明

玉树县公安局新建路派出所民警更然（前）痛失爱妻，他顾不上年幼的儿子和年迈的岳母，奋力救出4名被埋群众，运送伤员数十人

图片说明

①②灾区群众组织开展自救

一、行业自救互救

①

②

③

图片说明

① 2010 年 4 月 21 日，玉树州档案工作人员清理从瓦砾下抢救出的部分档案资料
② 青海省公路收费处玉树项目办工作人员全力搜救被埋人员
③ 玉树州有关单位工作人员清理受损场所

①

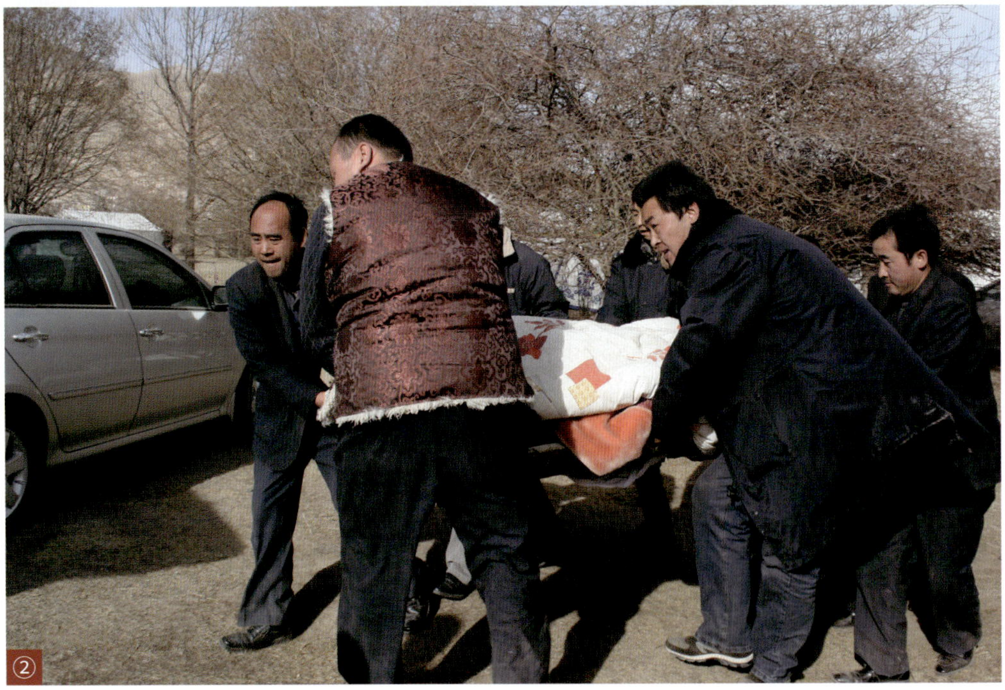

②

图片说明

① 中国电信玉树分公司员工在院内进行自救

② 玉树州国税干部紧急转移伤员

二、群众自救互救

图片说明

① 玉树灾区群众第一时间展开自救
② 从废墟下救出群众
③ 群众自发抢救被埋压生命
④ 16 日 13 时 48 分，在被埋压 50 多个小时后，13 岁的藏族小姑娘次乃拥青被父母抱在怀中

图片说明

① 受灾群众在临时搭建的帐篷外生火做饭
② 灾区群众在自家的废墟中搜寻埋压的财物
③ 群众将所救伤员紧急送往医院
④ 全力以赴抢救生命

图片说明

①② 灾区群众在倒塌的废墟里进行搜救
③ 受伤的群众在临时救治点看护伤者
④ 转送受伤的儿童

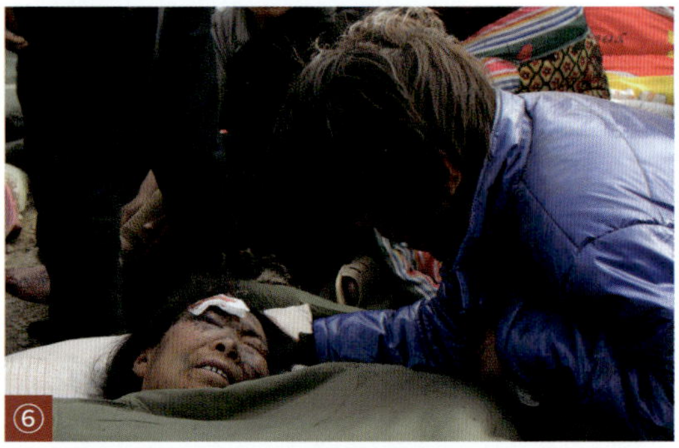

图片说明

①②③④⑤⑥⑦抢救与转送受伤的群众

图片说明

①②自发参加救援的儿童
③ 僧侣参与救援

①

②

图片说明

①②青海油田格尔木石化基地职工医院接收玉树灾区伤员

三、恢复市场交易

图片说明

① 市场逐渐恢复

② 4 月 30 日，居民们开始在市场选购蔬菜

图片说明

① 为确保灾后群众日常消费需要，工商部门组织流动送货车向灾区群众送温暖

② 4 月 26 日，结古镇群众在格萨尔广场露天市场选购商品

③ 市场供应及时恢复

四、公共服务恢复工作

图片说明

① 工商先遣队队员检查灾区市场商品质量

② 工商执法人员受理灾区群众消费投诉

图片说明

① 玉树县公安局民警多杰求忠放下正在哺乳的孩子，坚守在街头巡逻、维护治安和发放救灾物资的第一线
② 玉树县公安局民警解答受灾群众提出的疑难问题

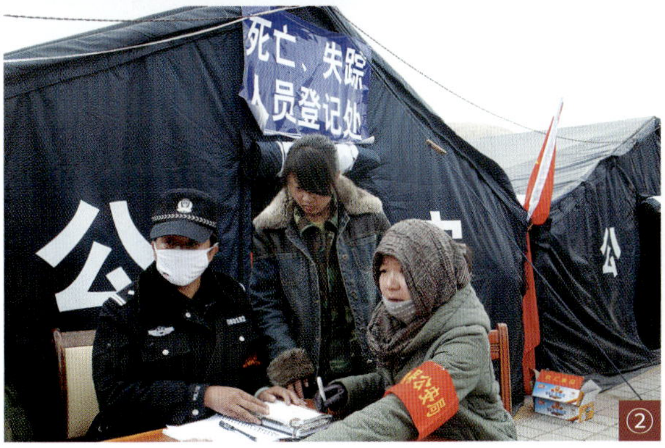

图片说明

① 交警解答驾驶员提出的疑难问题
② 玉树县公安局民警登记死亡、失踪人员
③ 受灾群众向民警咨询疑难问题

图片说明

①4月22日，玉树州气象局技术人员在扎西科受灾群众安置点开展现场气象服务工作

②4月15日，玉树气象预报人员通过应急保障车与省气象台会商天气

③玉树县地税局在震后第一时间设立的办税服务厅

图片说明

① 办税人员向牧民群众讲解车辆购置税知识

② 青海邮政震后在玉树街头搭建临时邮局

③ 4 月 16 日，玉树临时邮局、邮储银行流动服务车恢复邮政服务

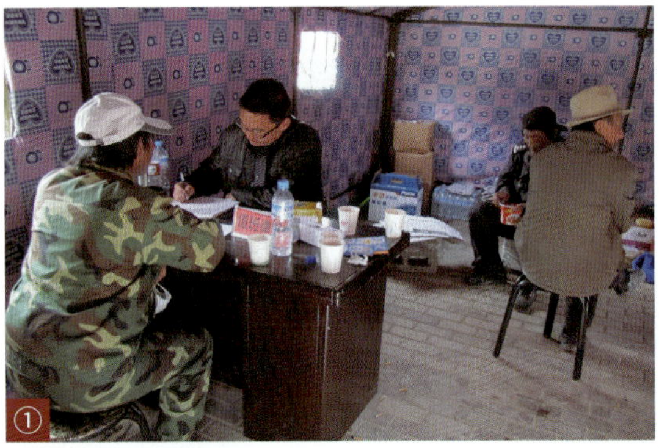

图片说明

① 帐篷律师事务所开展法律咨询和服务工作
② 玉树州中级人民法院立案庭干警在帐篷临时法庭办案
③ 玛多县三岔路口中国联通服务站为抗震救灾驰援队伍免费提供服务
④ 卫生监督人员对玉树灾区医疗卫生机构进行现场监督，规范医疗行为
⑤ 玉树汽车站设立的临时帐篷售票窗口
⑥ 玉树县人民检察院干警在临时办公点整理案件卷宗

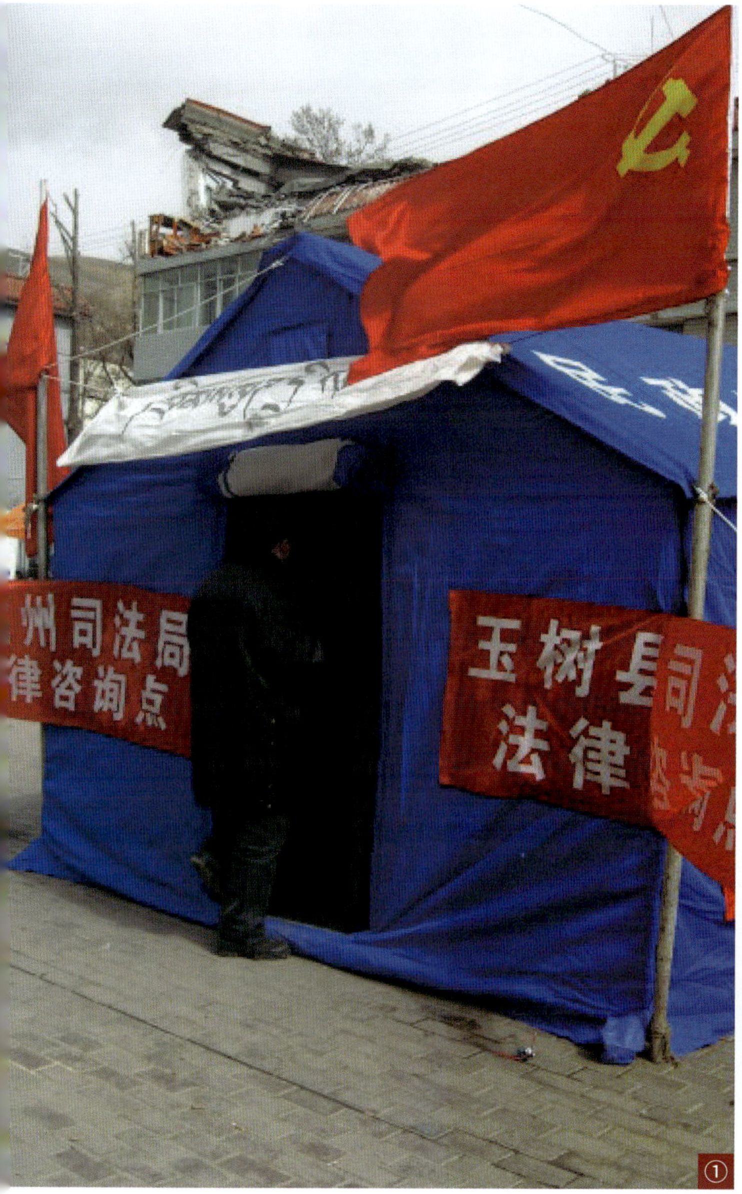

图片说明

① 玉树州、县两级司法局在结古镇街头设立帐篷法律咨询点
② 4 月 23 日，中国石油青海分公司流动加油站为往来车辆提供便利
③ 中国移动青海公司在灾后的瓦砾堆上为群众提供服务

①

②

图片说明

① 震后第三天恢复班线客运服务

② 震后第五天玉树州中级人民法院建立第一个帐篷临时法庭

图片说明

① 中国电信为媒体记者发稿提供服务

② 中国电信为群众提供报平安电话

第三节　医疗救援与防疫

地震发生后，灾区原有的医疗体系遭到不同程度的破坏，灾区医疗救治面临巨大的压力和挑战。中共中央、国务院将医疗救治作为救援工作的重中之重，在国务院抗震救灾总指挥部直接指挥下，卫生部成立了抗震救灾总指挥部卫生防疫组和卫生部青海省玉树地震卫生应急领导小组，依法启动自然灾害卫生应急Ⅰ级响应，集合各方力量，按照“高度重视、协调配合、迅速应对、科学处置”的原则，紧急开展医疗卫生救援工作。解放军、武警部队和地方医疗机构迅速派出医疗救援队赶赴灾区投入医疗救援。卫生部灾区前方工作组加强与地方政府、军队和有关部门的协调，强化军地多部门联动机制，统筹开展医疗卫生救援工作。各医疗救援队在各方面的配合下，建立起帐篷医院、野战医院、活动板房医院，开展医疗救治工作。面对伤员大量增加的压力，医务人员不等不靠，在临时抢救室、临时帐篷紧张的情况下，在医院空地、街边、地震现场就地紧急抢救伤员。有些医生在缺乏照明的条件下，为了抢救生命，利用汽车车灯、摄像机灯光等照明，坚持为伤员进行手术。为赢得挽救危重伤员生命的时间，各医疗队及时赶赴极重灾区，深入乡村、群众安置点，冒着余震、塌方等危险，现场紧急抢救伤员。来自全国各地的医务人员心中只有一个信念：不能让他们从废墟中被解救出来，却在自己手中离开！

对于危重伤员，指挥部协调民航、铁路等有关部门紧急转送到省城医院和省外医院治疗。震后3天，重症伤员全部安全转运，得到及时有效的分流救治。心理专家和志愿者在灾区开展心理疏导、心理咨询和心理治疗，缓解灾区群众心理压力。卫生防疫队伍全力开展防疫工作，灾区未发生饮用水和食品安全事件，未发现重大传染病疫情和突发公共卫生事件，卫生救助工作有力、有序、有效推进。

一、医疗救治

图片说明

兰州军区第 323 医院抗震救灾医疗队抵达玉树灾区

①

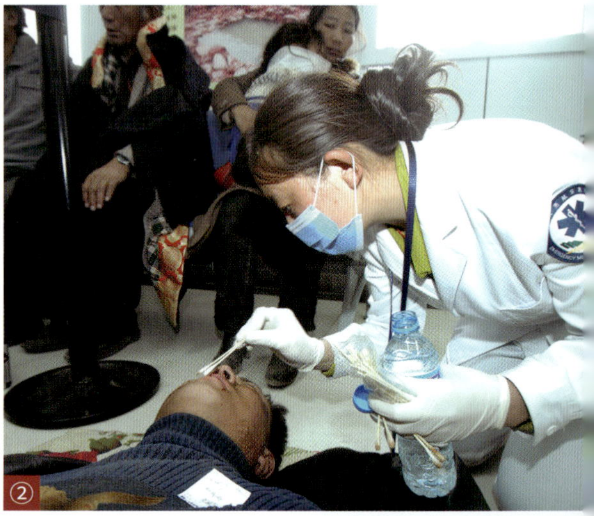

②

③

图片说明

① 医务人员紧急转送伤员
② 民用航空急救医务人员在机场候机楼细心为患者清创
③ 连续奋战在一线的 120 急救司机待命出发

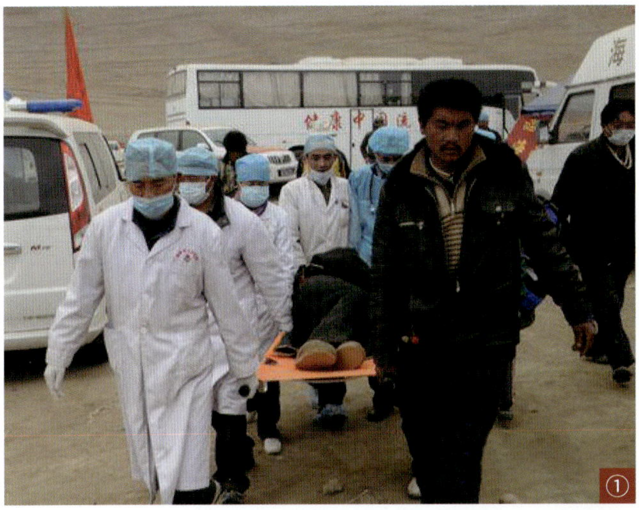

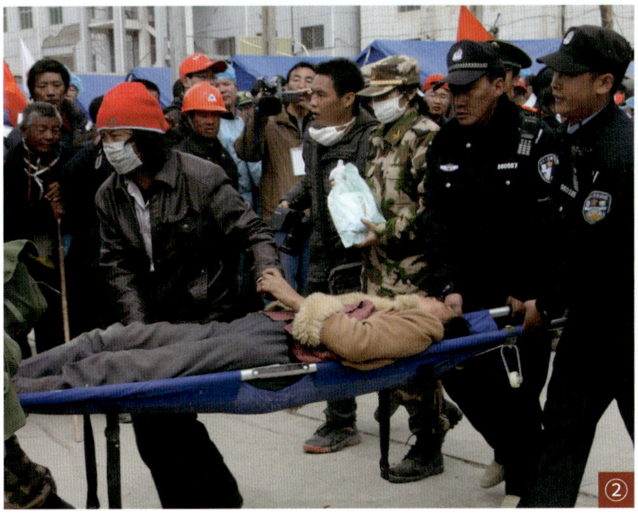

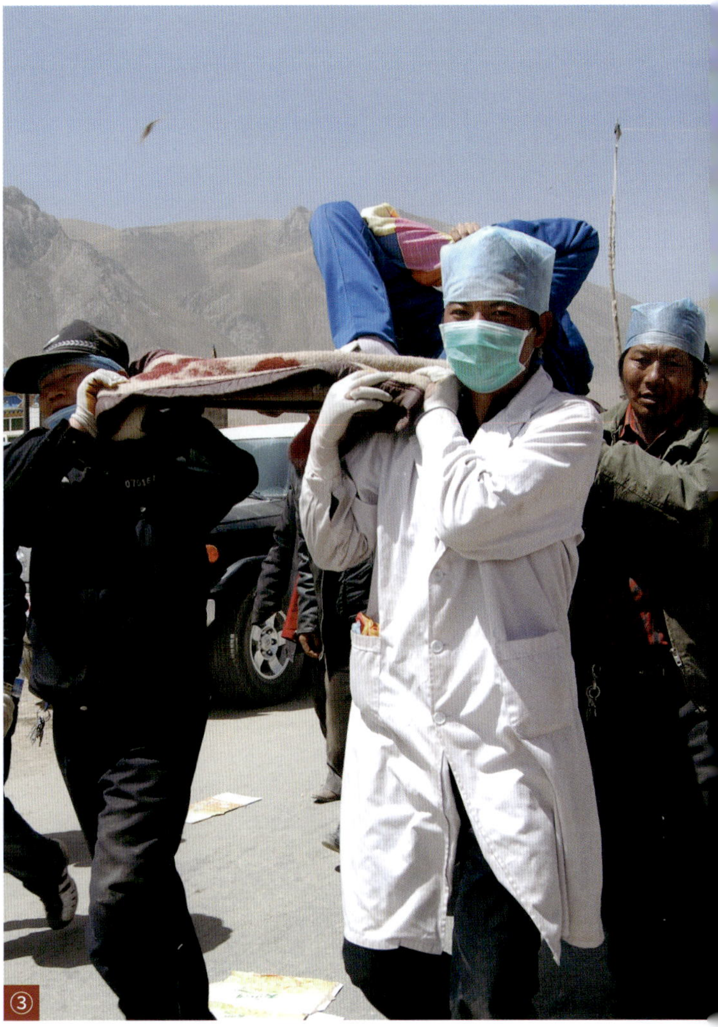

图片说明

①②③运送伤员

①

②

图片说明

①②现场处置

①

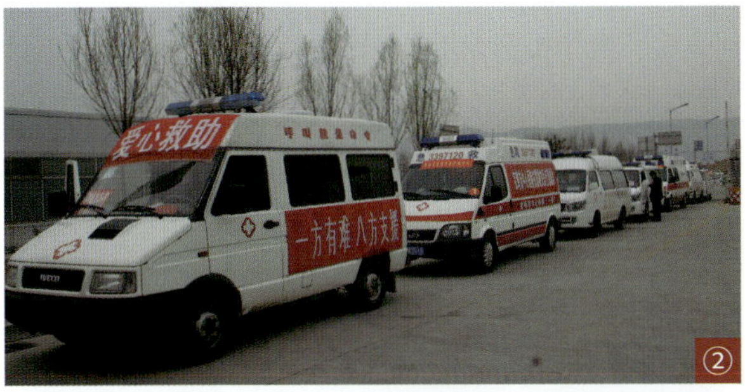

②

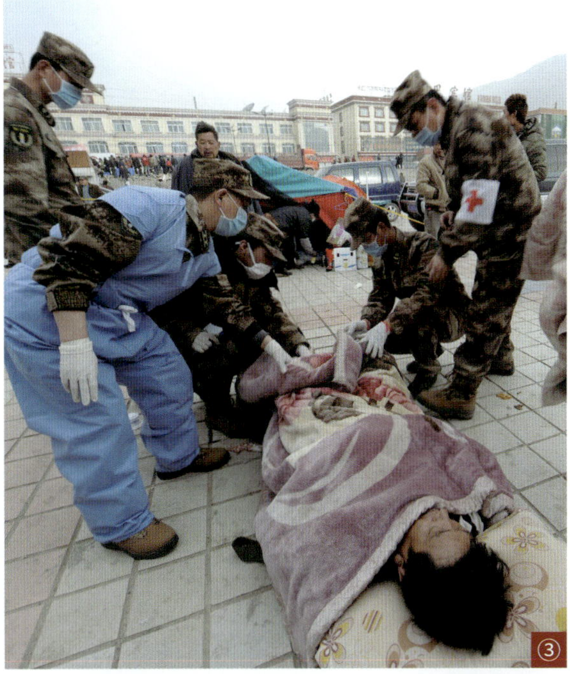
③

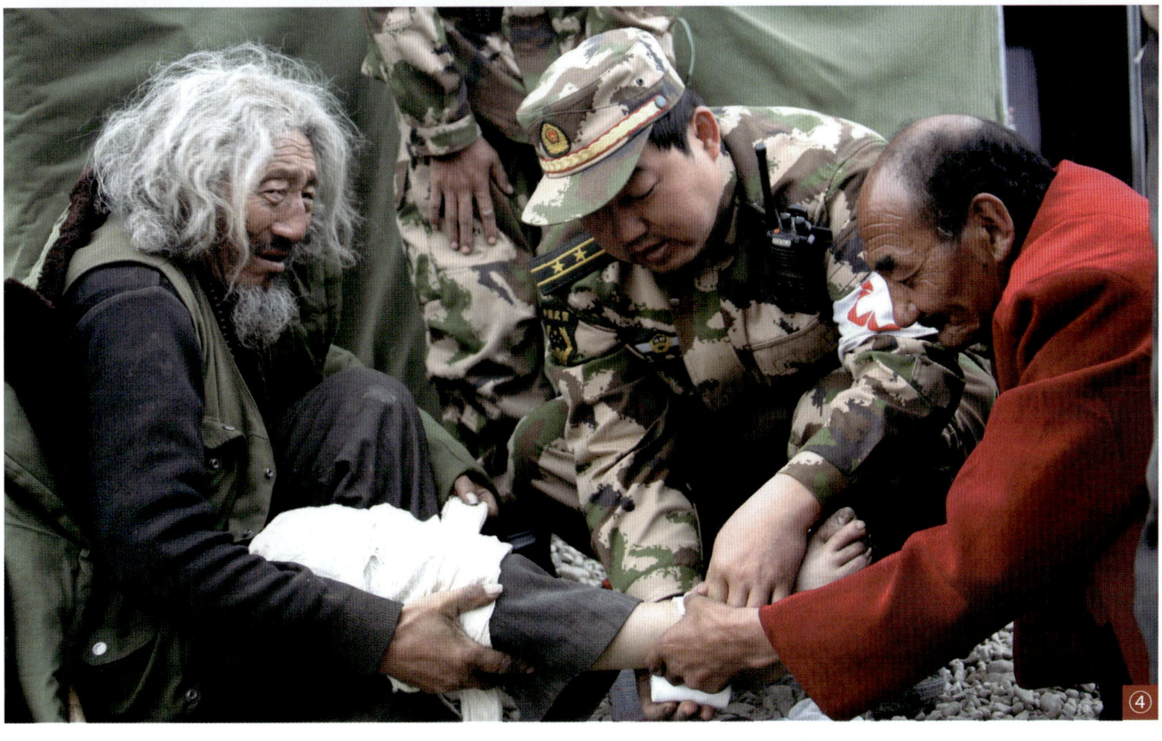
④

图片说明

① 武警青海总队医院医护人员在路边紧急抢救受伤人员

② 陕西省西安市医疗队、宝鸡市中心医院抗震救灾医疗急救队、商洛职业技术学院医疗队、渭南抗震救灾医疗队在赶赴玉树地震灾区的路上

③ 解放军第 536 医院医生在玉树县结古镇格萨尔广场救治危重伤员

④ 现场处置

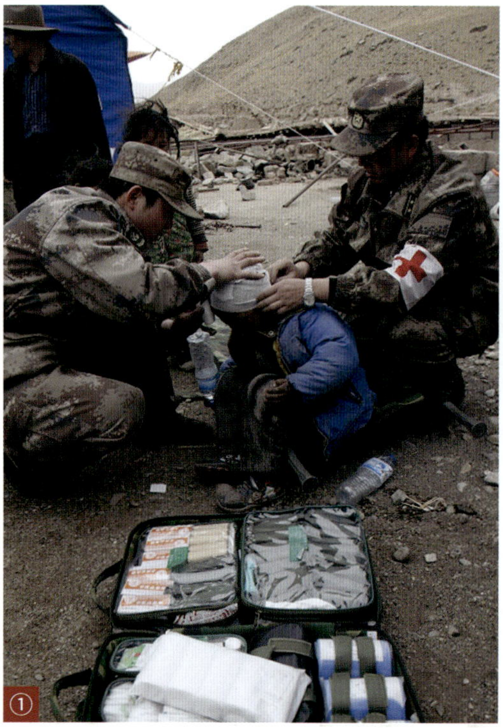

图片说明

① 4 月 18 日，解放军总后青藏兵站部抗震救灾医疗队为受伤小学生包扎伤口

② 解放军官兵进村入户寻找危重伤员并为受伤群众治疗

③ 抢救受伤的孩子

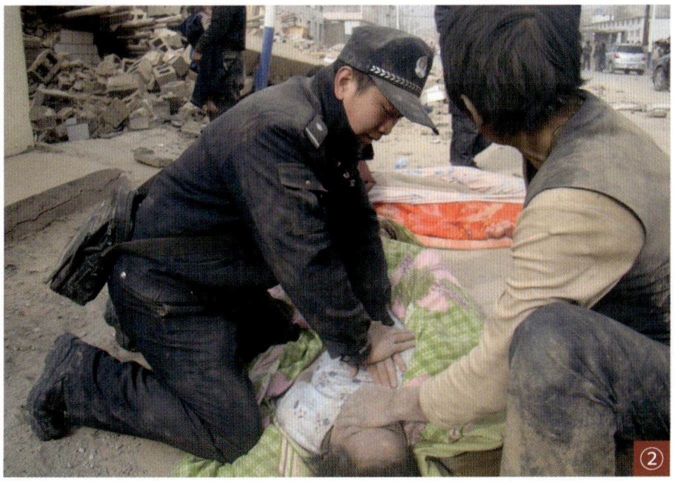

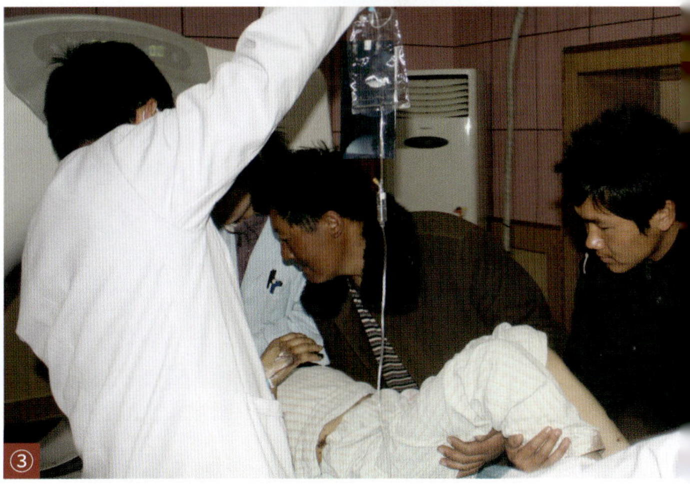

图片说明

①②③现场紧急救治

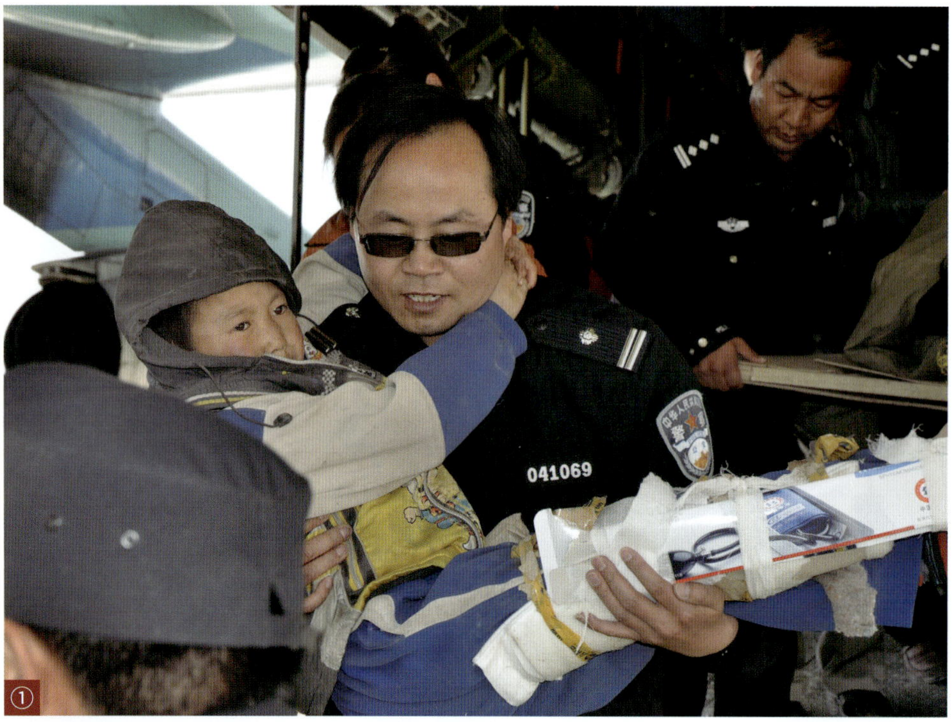

①

②

图片说明

①②护送伤员到外地进行治疗

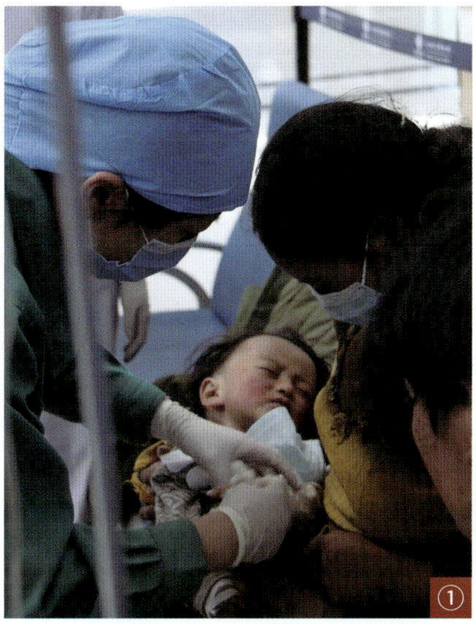

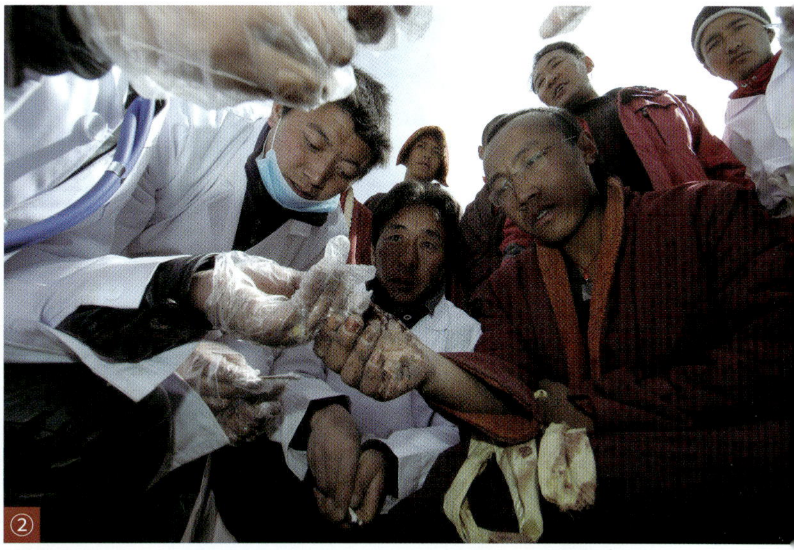

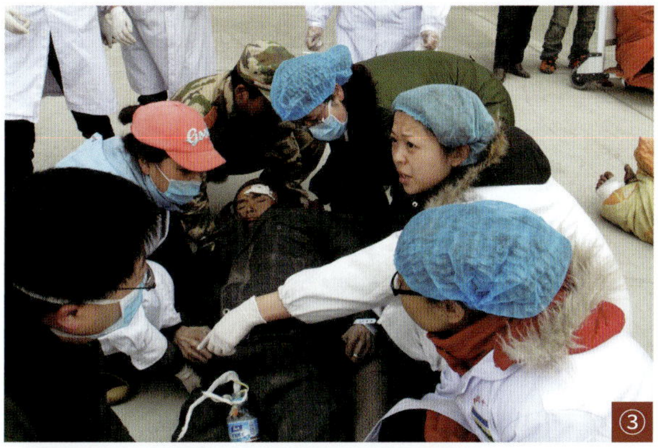

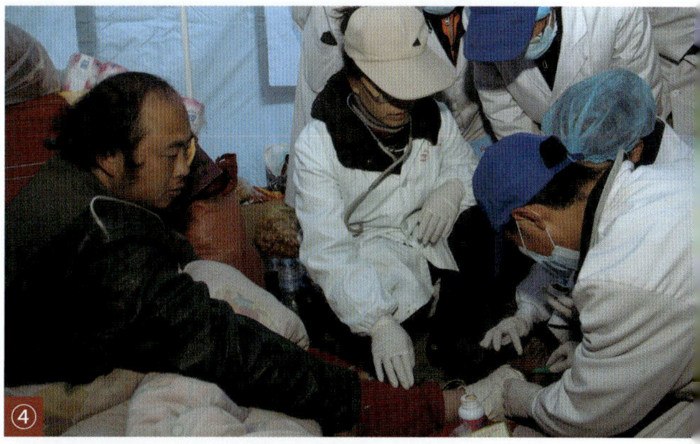

图片说明

①②现场处置

③④ 4 月 20 日，青海省卫生职业技术学院志愿者在灾区群众安置点开展医疗救治工作

⑤ 西宁市第二人民医院灾区现场救助点

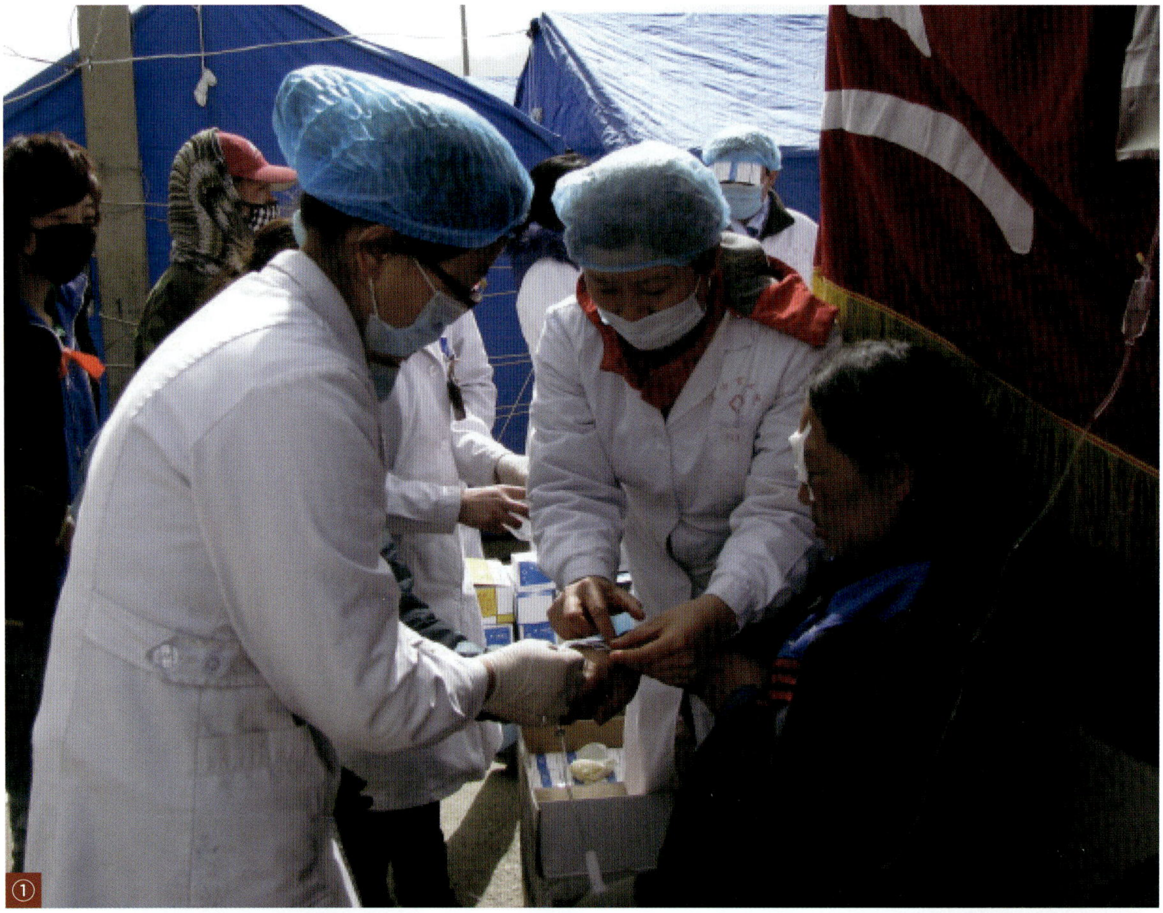
①

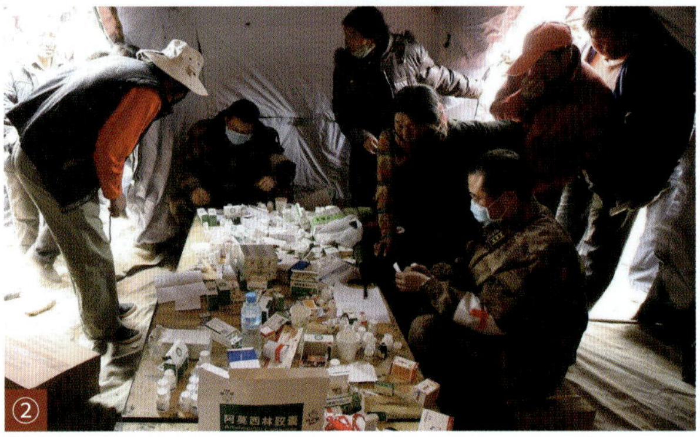

②

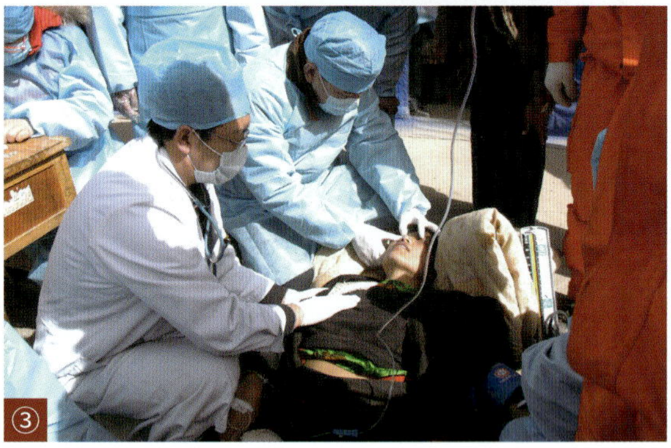
③

图片说明

① 西宁市第三人民医院救治小分队治疗伤员

② 灾区伤病员及其亲属在解放军帐篷医院里凭处方领药

③ 4 月 16 日，青海省医务人员在玉树州体育场医疗救治点抢救伤员

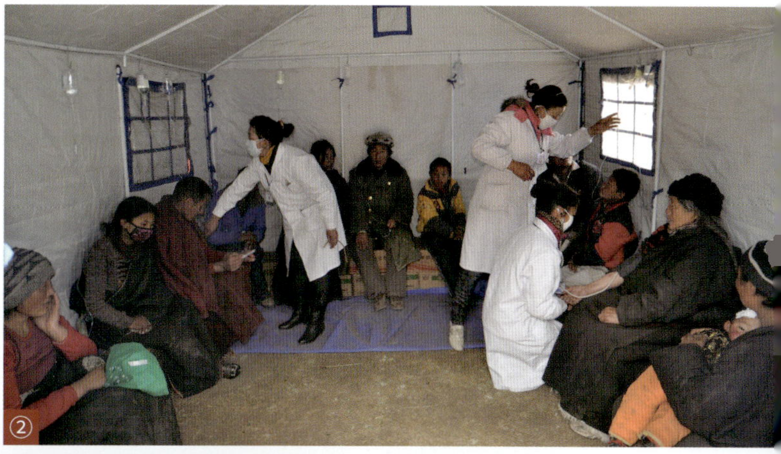

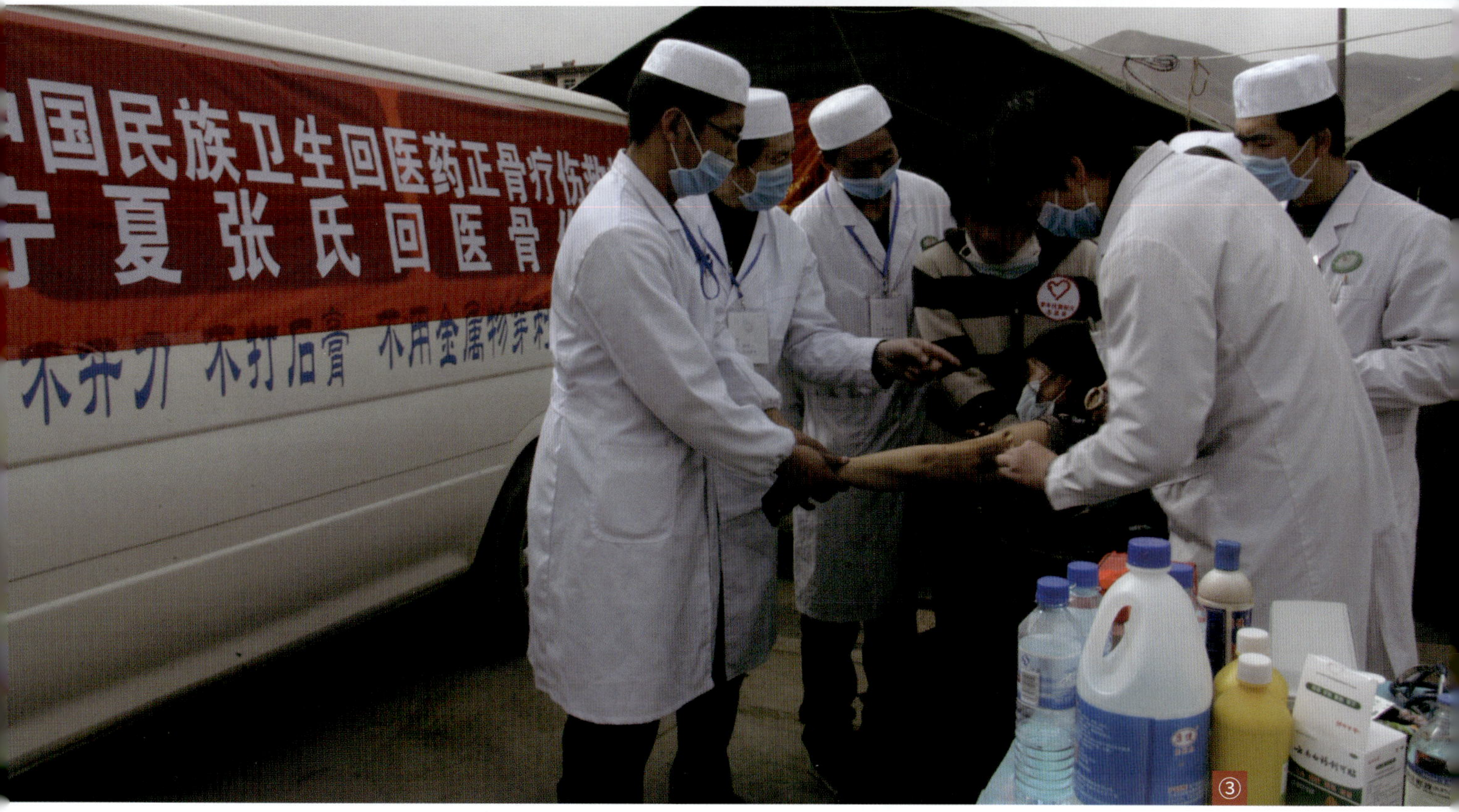

图片说明

① 青海省人民医院急救手术流动车在灾区执行任务

② 果洛州派出的医务人员在临时帐篷医院为受灾群众诊疗

③ 省外医疗救援队发挥民族医药特色优势在灾区开展医疗救治工作

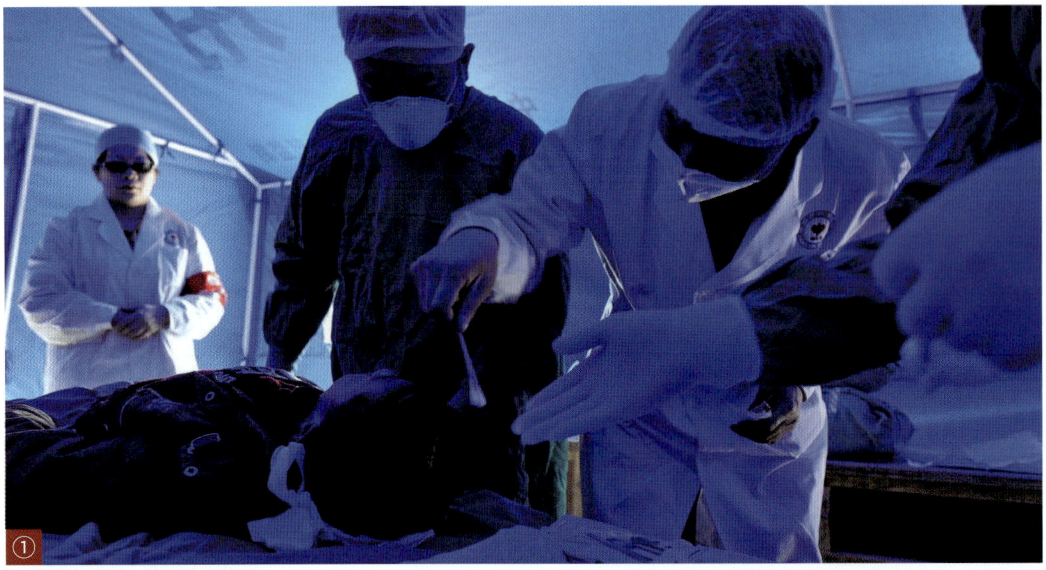

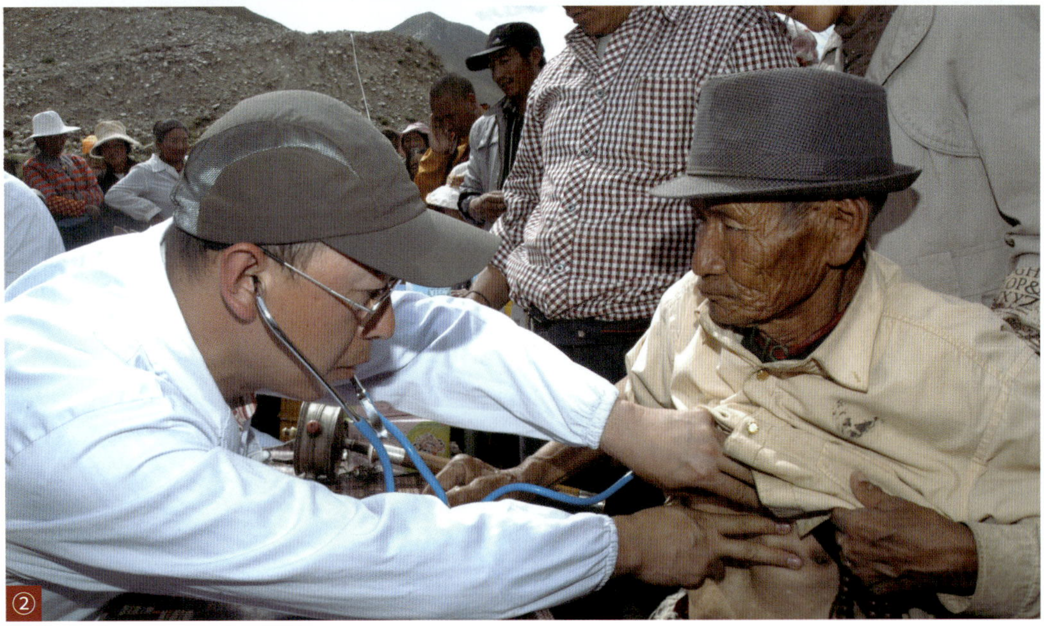

图片说明

①四川省绵阳市中心医院医疗队医护人员为受伤的藏族男孩换药

②青海省妇女儿童医院医务人员在新寨乡郭吾社为群众进行医疗诊治

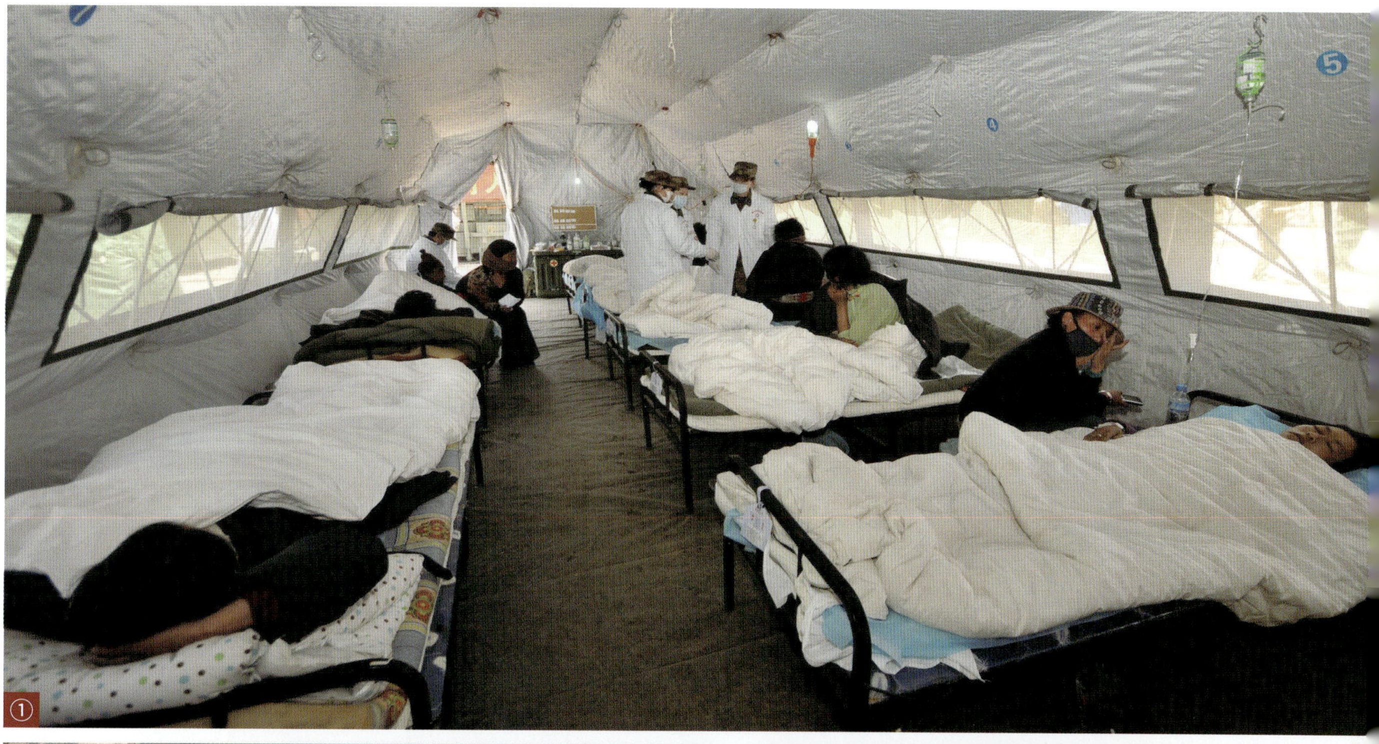

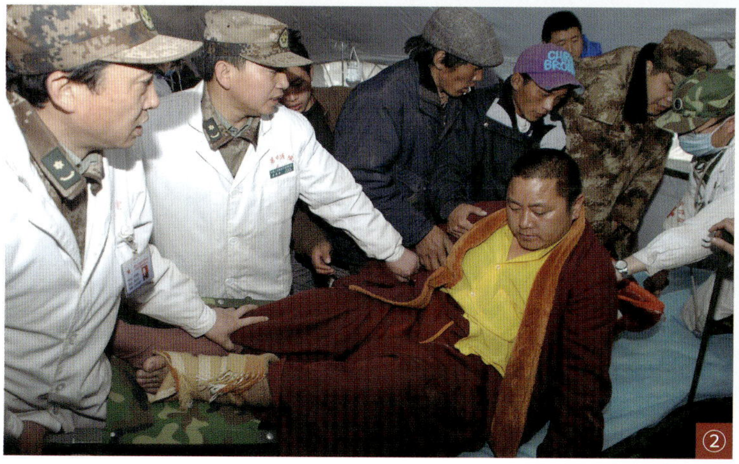

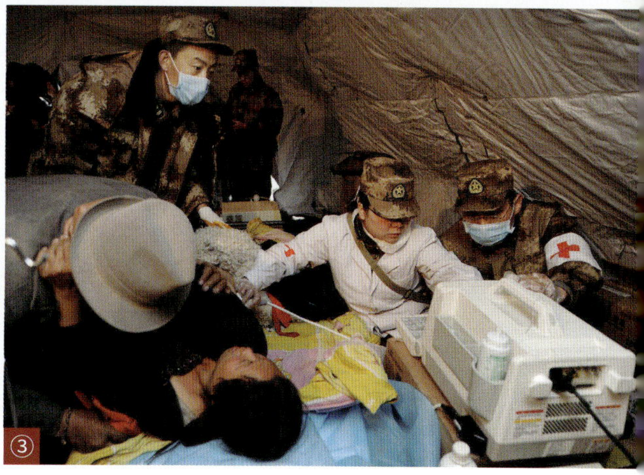

图片说明

① 解放军第 153 医院野战方舱医院医务人员为伤员检查身体
② 解放军第 4 医院玉树灾区医疗队救治受伤的僧人
③ 解放军第 536 医院的医生在简易帐篷内救治受伤群众

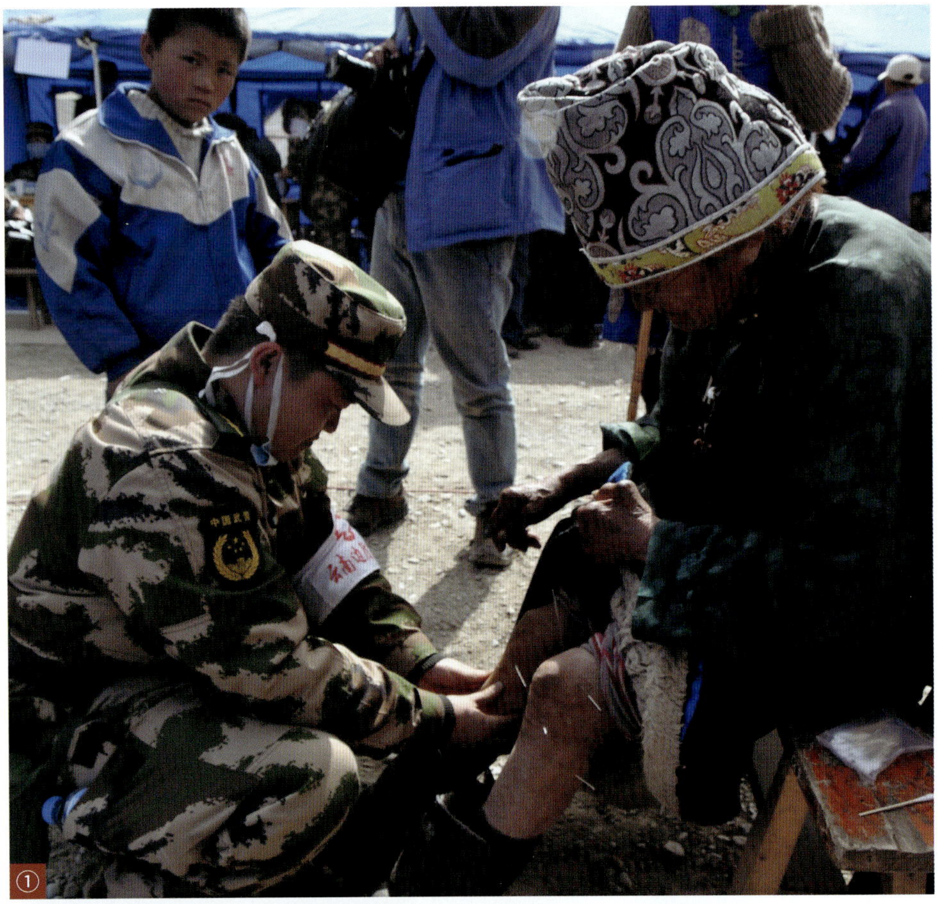

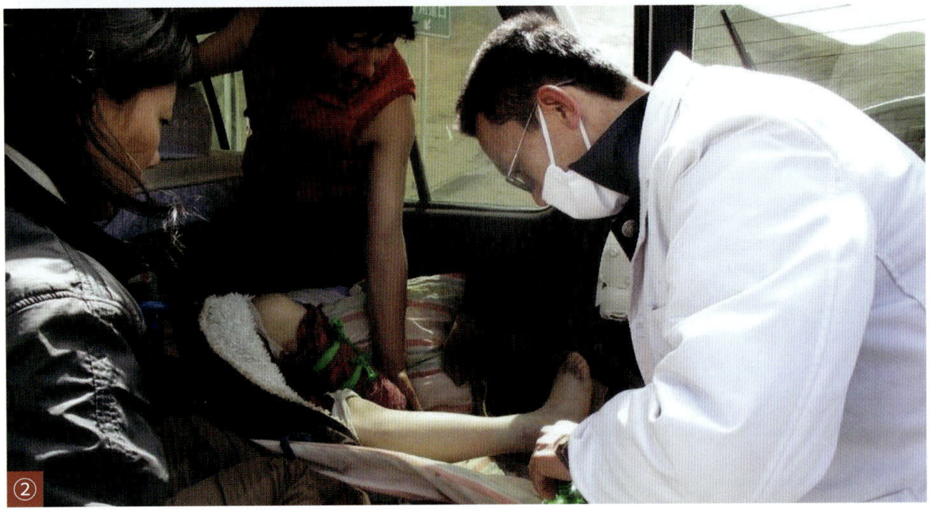

图片说明

① 武警云南边防部队医疗队为受灾群众针灸治疗

② 兴海县河卡山收费站临时医疗救助点大夫及时为受伤群众包扎

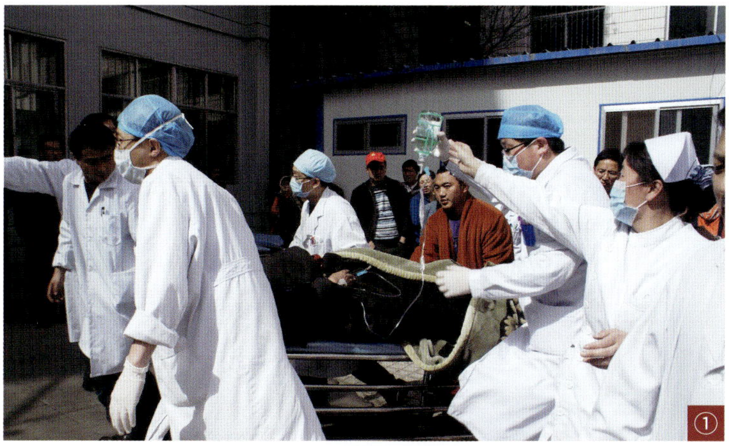

图片说明

① 医疗救治点接收重症伤员
② 青海久美藏医院为灾区群众提供医疗服务
③ 治多县医疗救护队为受伤的群众医治
④ 4 月 18 日，在玉树州体育场，来自青海大学附属医院的高原病急救队医生在为高原病患者治疗

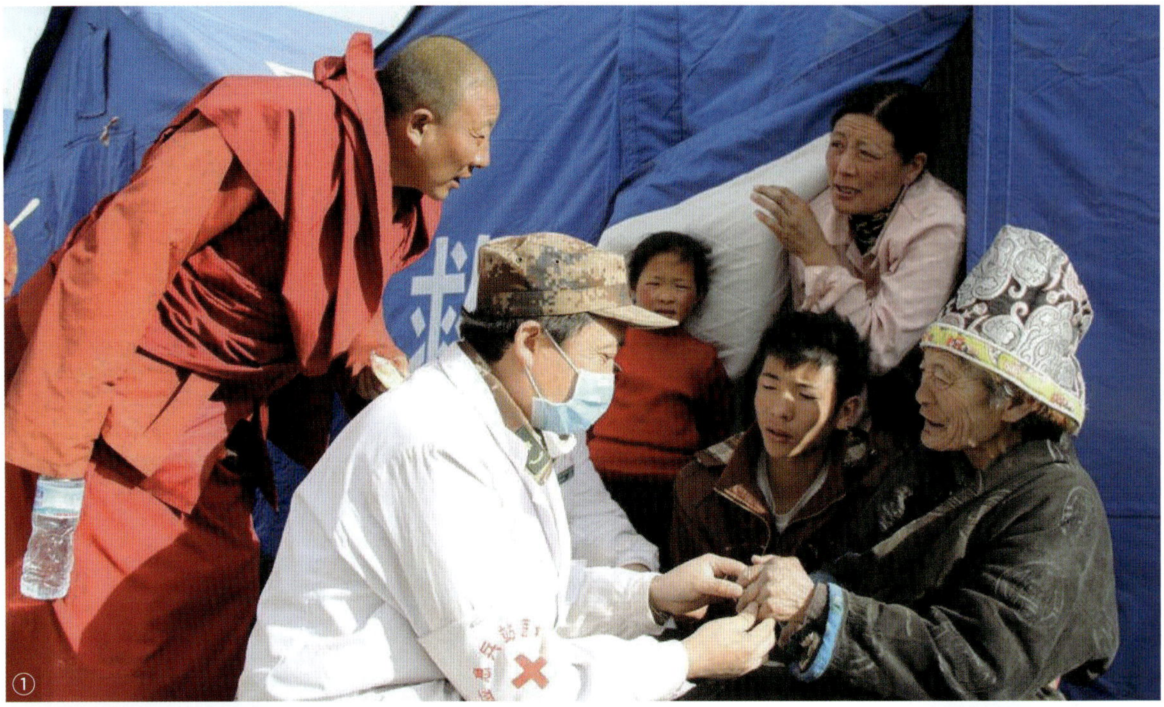

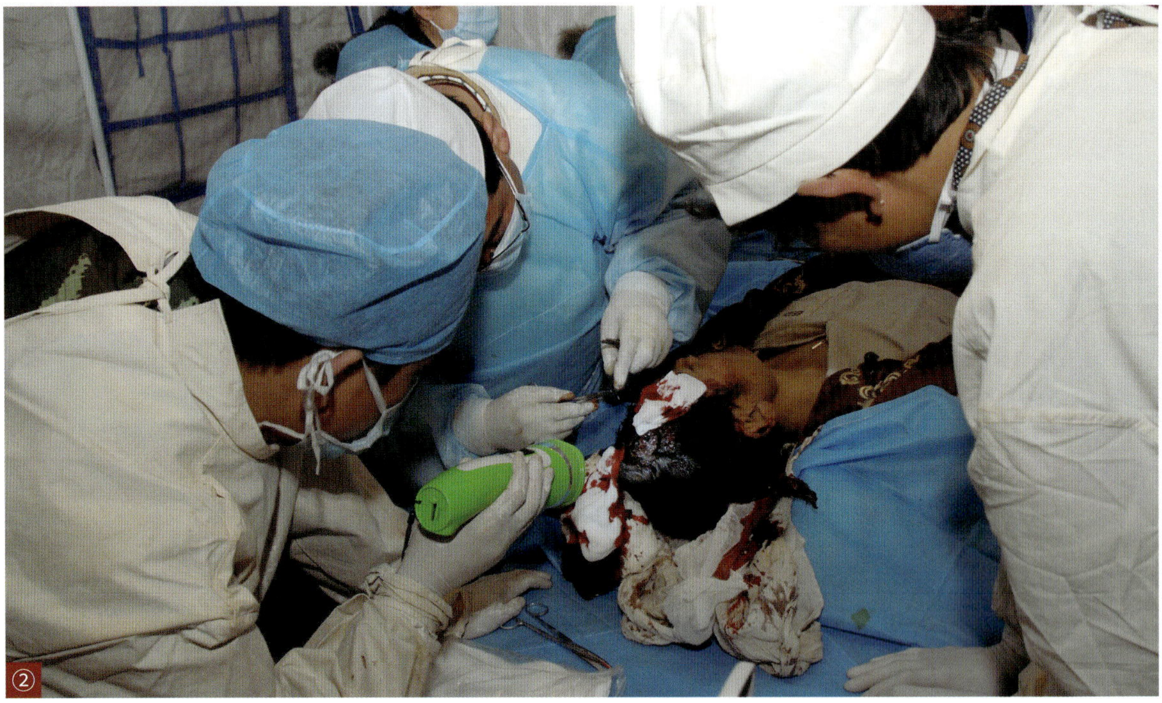

图片说明

① 解放军 86060 部队应急兵站高原医疗队在玉树灾区巡诊
② 青海省人民医院医疗队救治受伤的藏族妇女

①

②

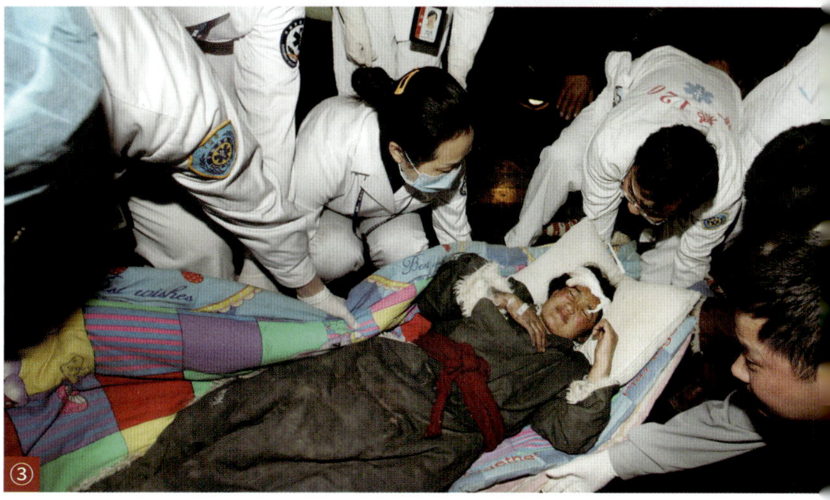
③

图片说明

①4 月 17 日，空军派出运输机在玉树巴塘机场转运伤员

②4 月 16 日，青海红十字医院的医生和武警救援部队战士抬着伤员准备登机

③4 月 15 日，玉树地震灾区的伤员抵达成都双流机场

图片说明

直升机转运受伤群众和物资

图片说明

4 月 17 日，转运伤员赴外地治疗

①

②

图片说明

① 将部分重症伤员通过铁路转移到省外条件较好的医院救治。图为青藏铁路公司青年志愿者在西宁火车站服务

② 解放军救援队与医疗人员齐心协力将重症伤员安全送上火车

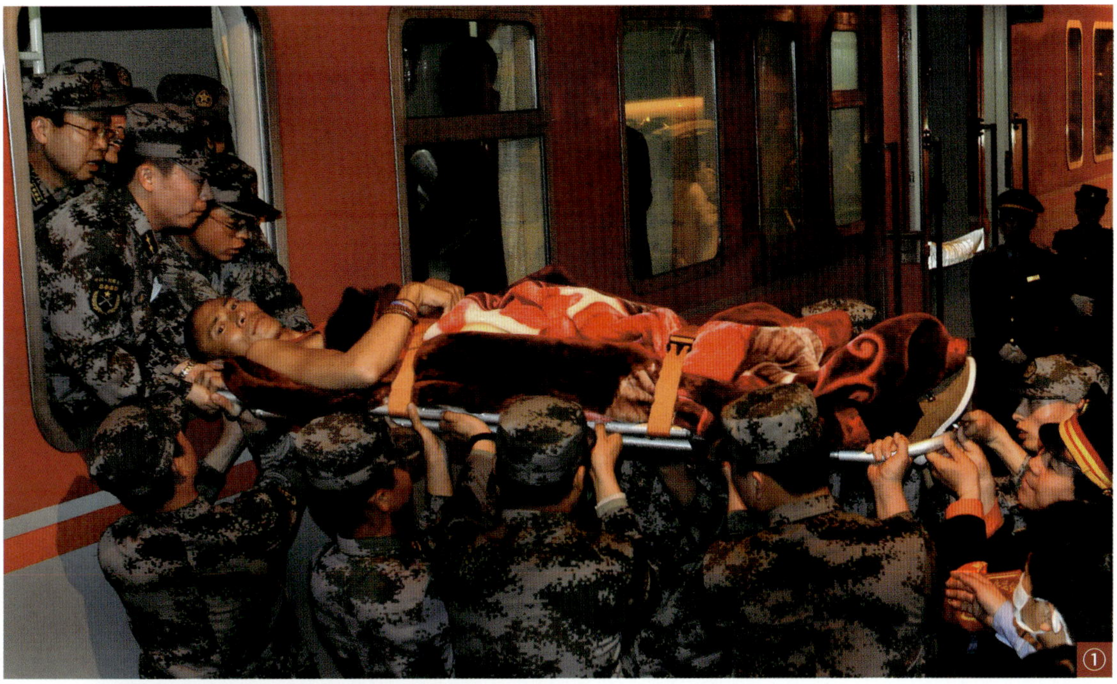

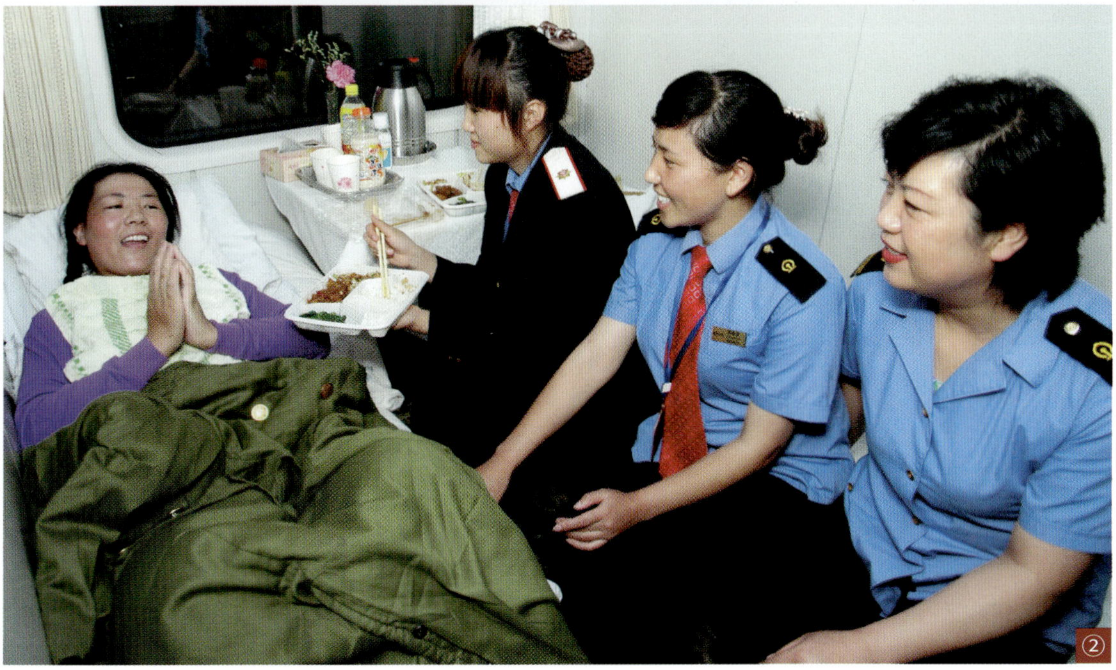

图片说明

①4月24日，青藏铁路公司开行的第一趟转运伤员专列
②青藏铁路公司客运部门转运伤员

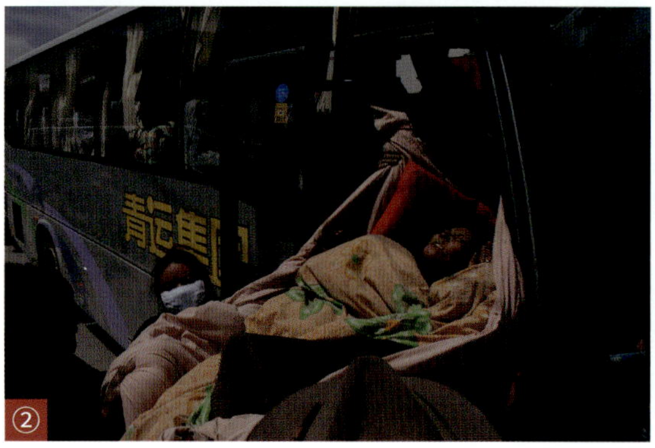

图片说明

① 护送重症伤员离开西宁赴省外治疗

② 青运集团大巴转运受伤群众

③ 4 月 16 日，解放军总后青藏兵站部官兵转运伤员

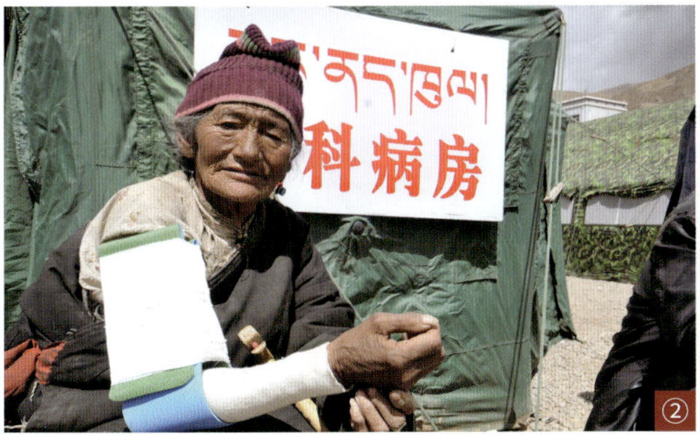

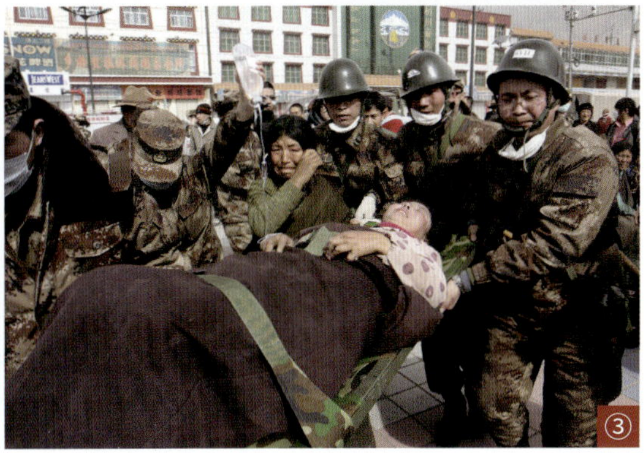

图片说明

①7 月 27 日，省人口计生委医疗专家组为当地群众做义诊服务

②胳膊受伤的老人得到及时治疗

③4 月 17 日，一名年轻妇女被送到解放军第 1 医院临时救助点接受治疗

图片说明

5月18日，在成都军区总医院出生的首个“玉树地震宝宝”小戎珍

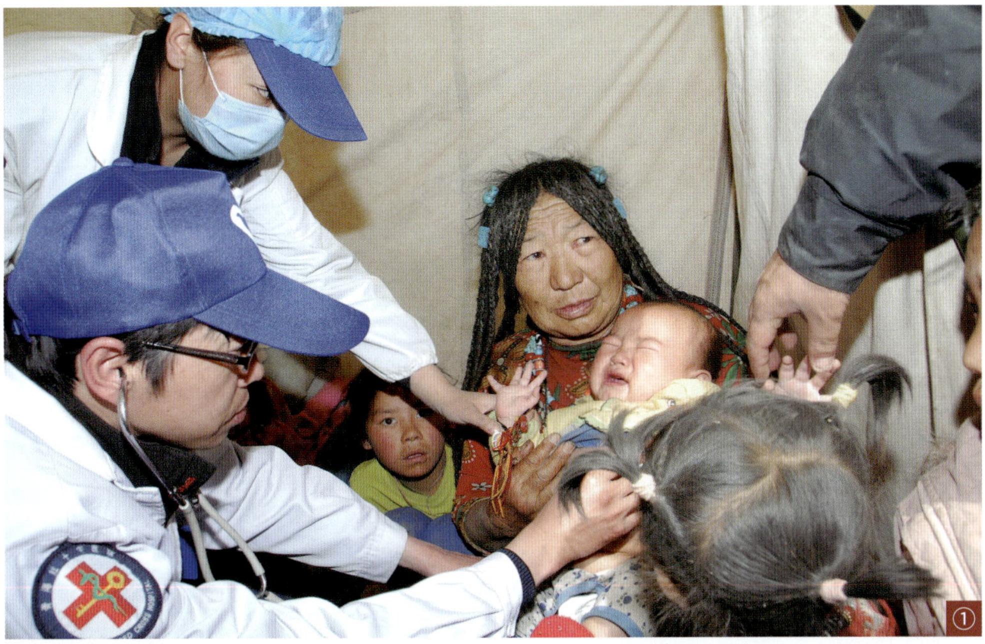

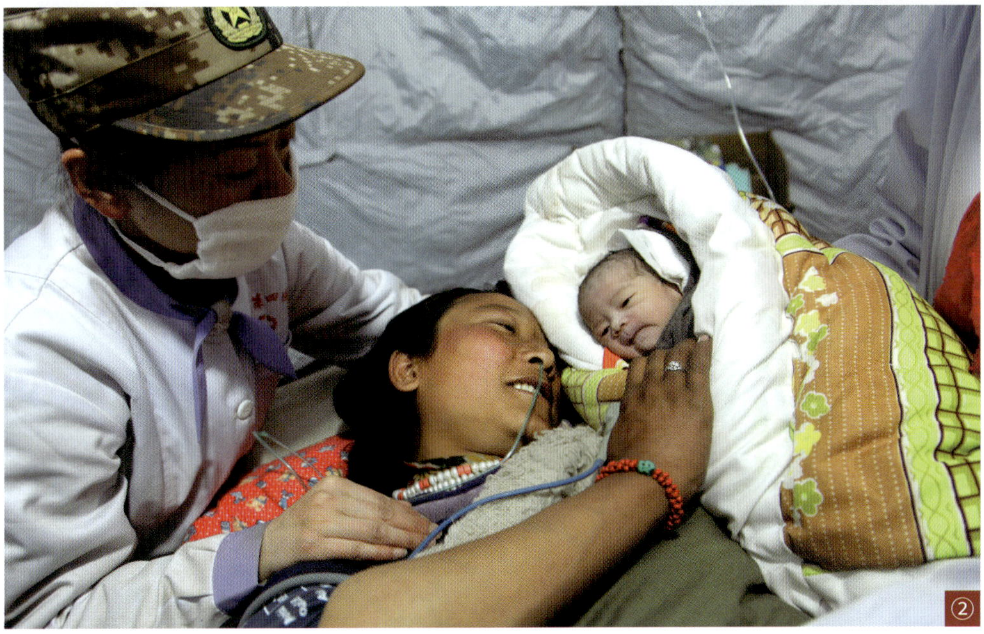

图片说明

① 青海红十字医院的医务人员为婴儿诊治

② 4 月 17 日，22 岁的尕永在解放军第 4 医院医疗帐篷中顺利产下一名女婴

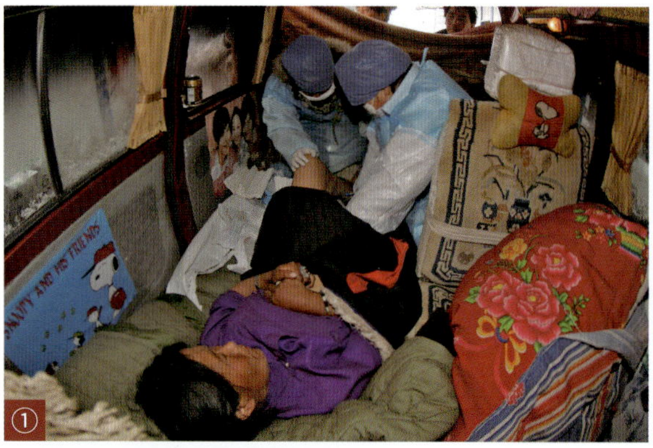
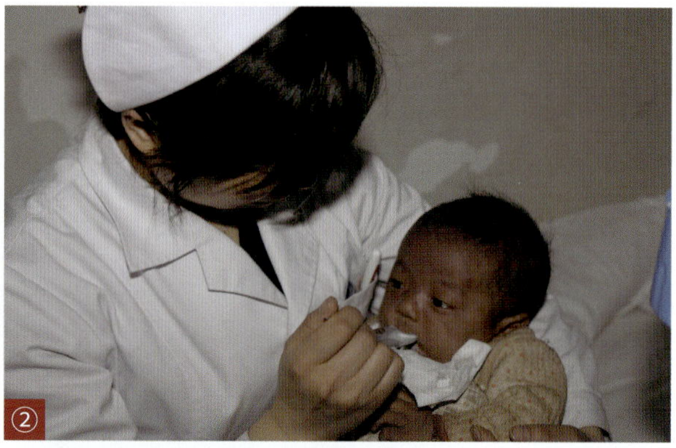
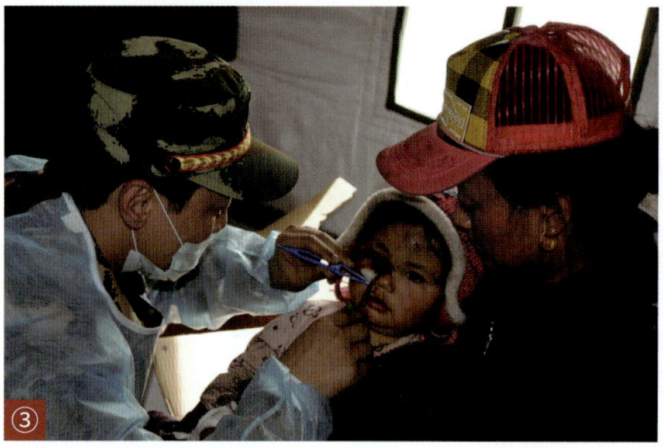
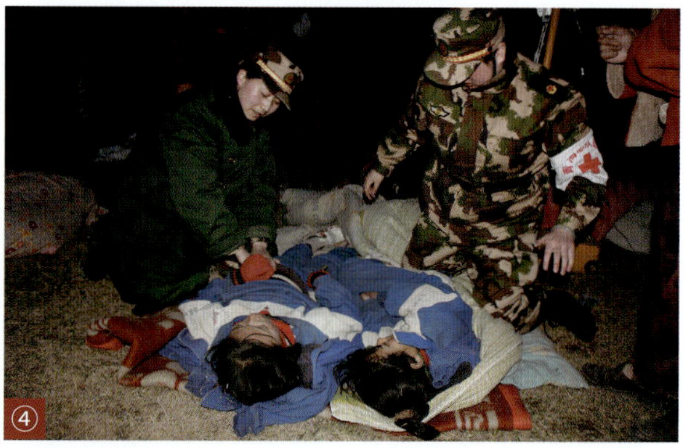
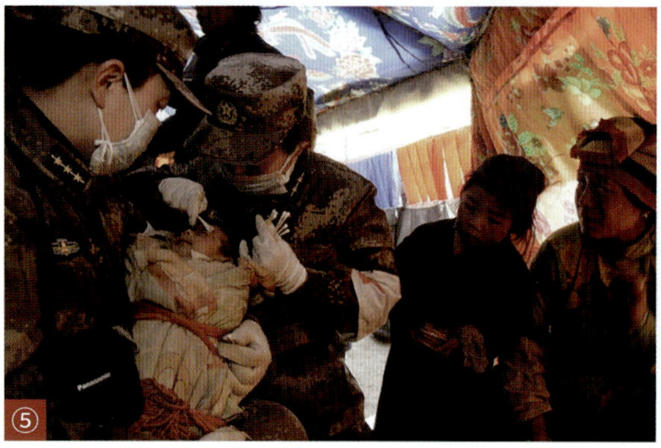

图片说明

①医生们在一辆汽车内给一名妇女接生
②解放军第 536 医院护士照顾灾区小孩子
③武警青海总队医院的医务人员在为受伤儿童小心清创
④武警青海总队医院的医护人员正在全力抢救两名重伤儿童
⑤4 月 18 日，解放军总后青藏兵站部抗震救灾医疗队为婴儿进行检查和护理
⑥解放军第 4 医院玉树灾区医疗队员将新生婴儿交到父亲手中

二、治疗及康复

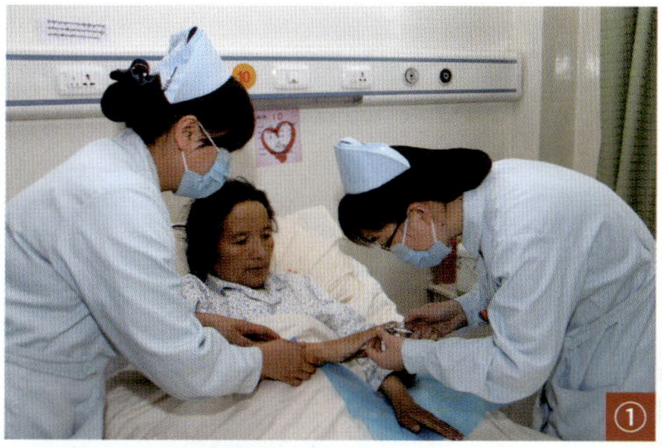

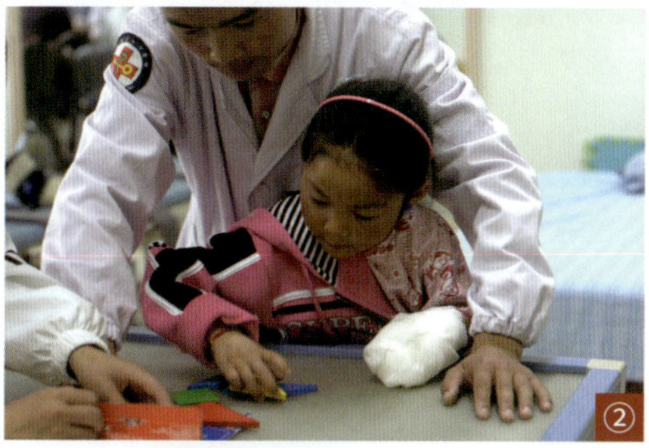

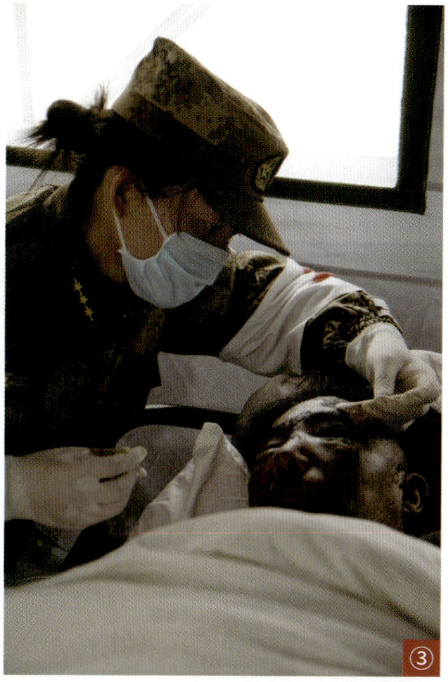

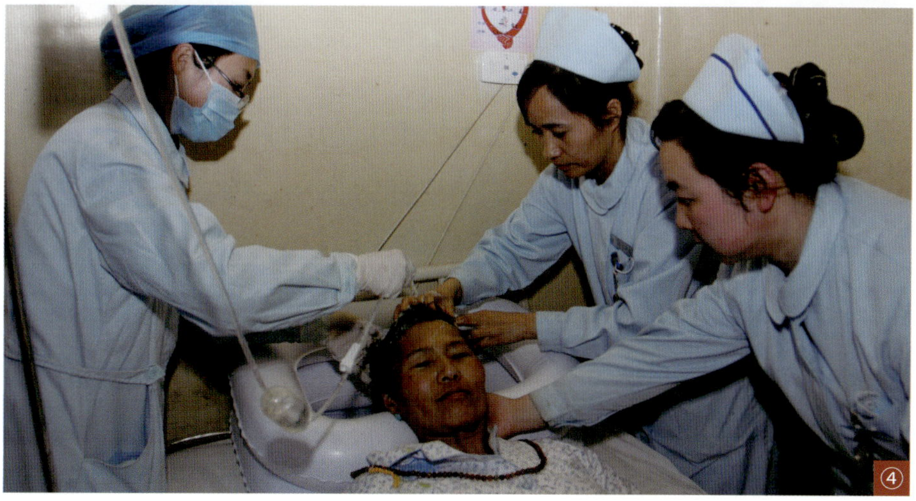

图片说明

① 医务人员精心护理受伤妇女
② 青海红十字医院医生对灾区受伤儿童进行康复训练
③ 医护人员精心护理伤员
④ 医护人员为女伤员清理梳洗

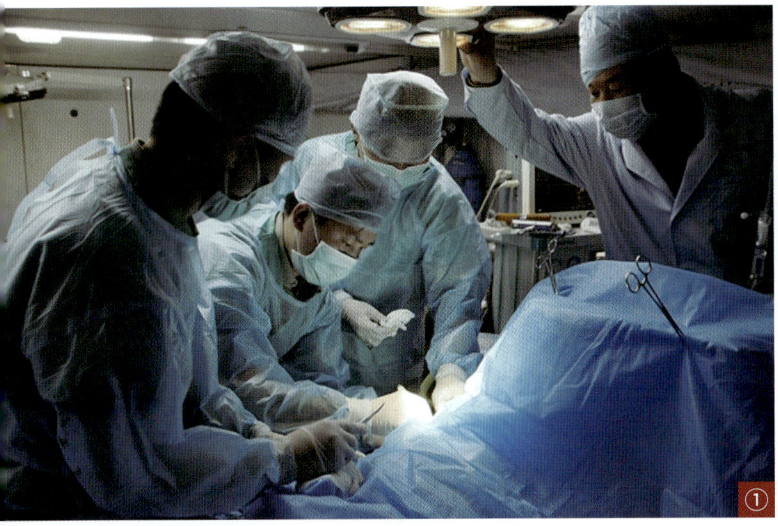

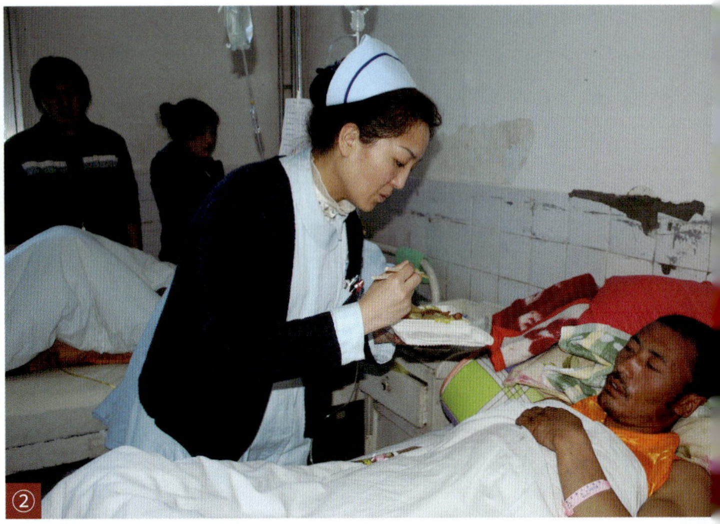

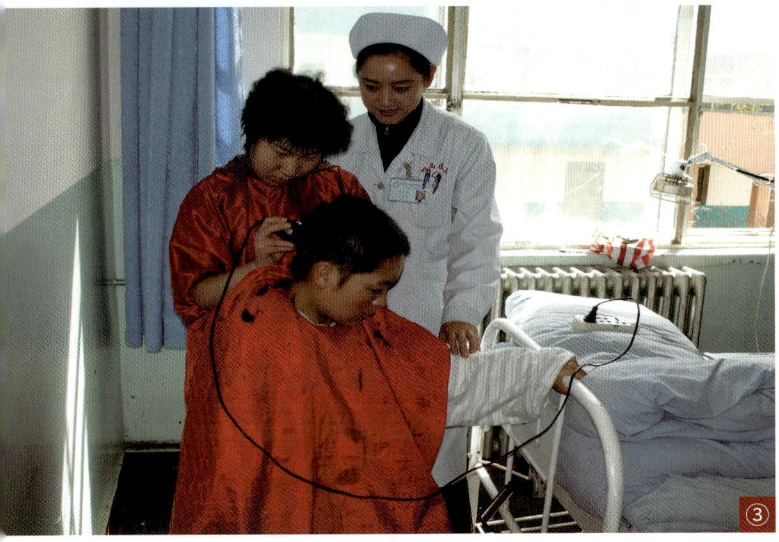

图片说明

① 4 月 18 日，解放军总后青藏兵站部抗震救灾医疗队与第三军医大学高原病防治医疗专家组对藏族小女孩代琴曲措进行肱骨外科颈骨折切开复位内固定术

② 护士为重症伤员喂食

③ 4 月 27 日，水电四局中心医院青年志愿者为即将康复出院的伤员理发

④ 解放军第 536 医院五官科医护人员为 11 岁的伤员过生日

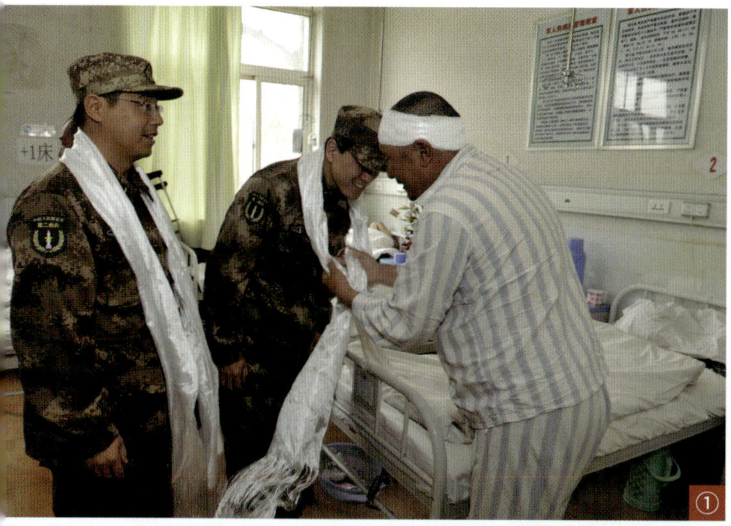
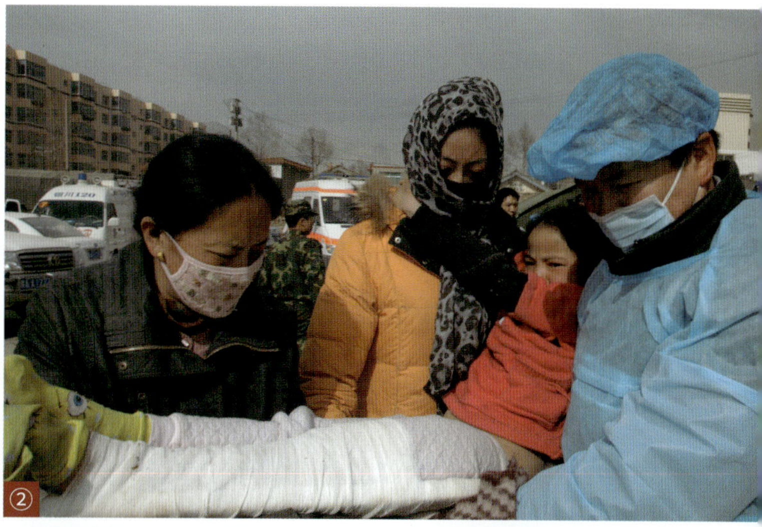
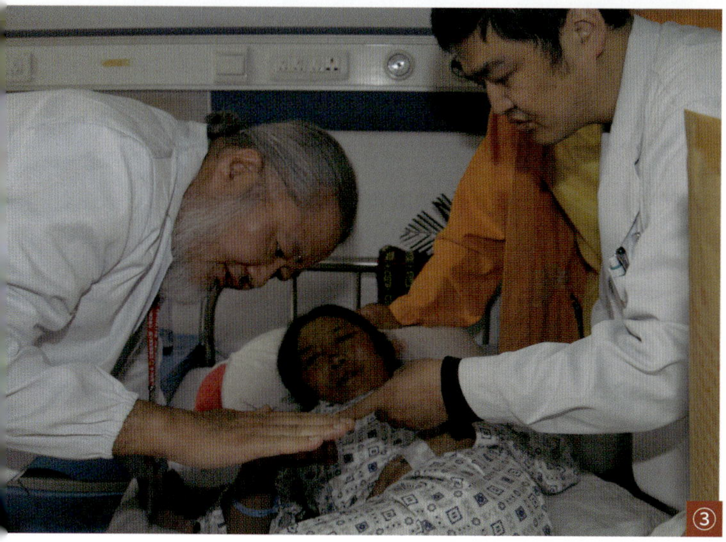
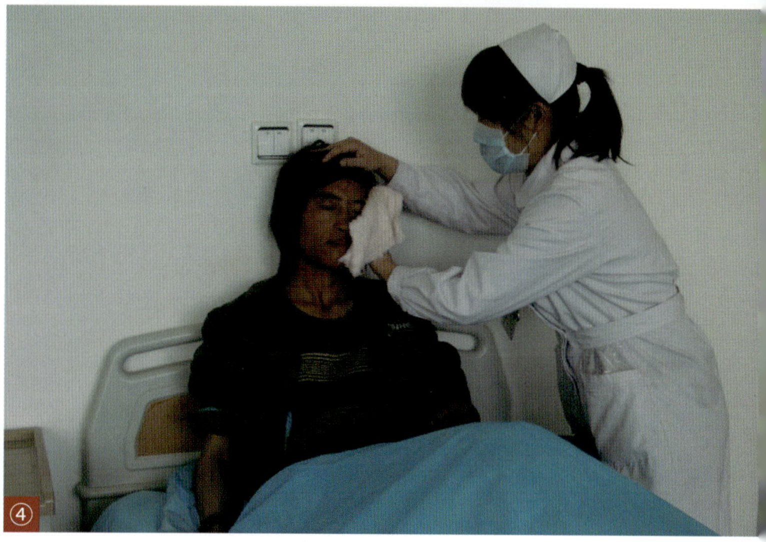

图片说明

① 康复伤员向解放军第536医院医护人员献上哈达表示感谢
② 妈妈迎接治疗后的小女孩回家
③ 台湾医疗专家与西宁市第一人民医院专家为伤员会诊
④ 青海油田公司医院医护人员细心护理伤病员

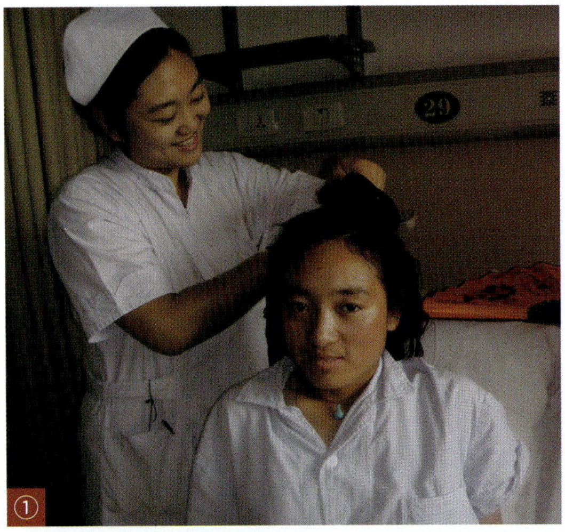

①

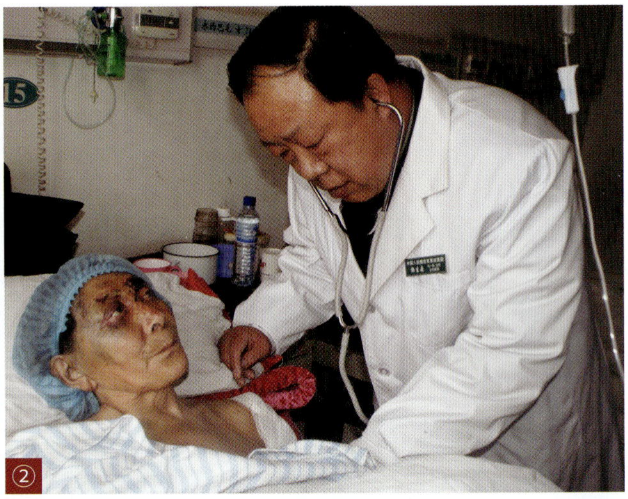

②

③

图片说明

① 护士为灾区学生梳头
② 解放军第 4 医院专家杨生岳为伤病员诊疗
③ 解放军第 536 医院第一位灾区伤员康复出院

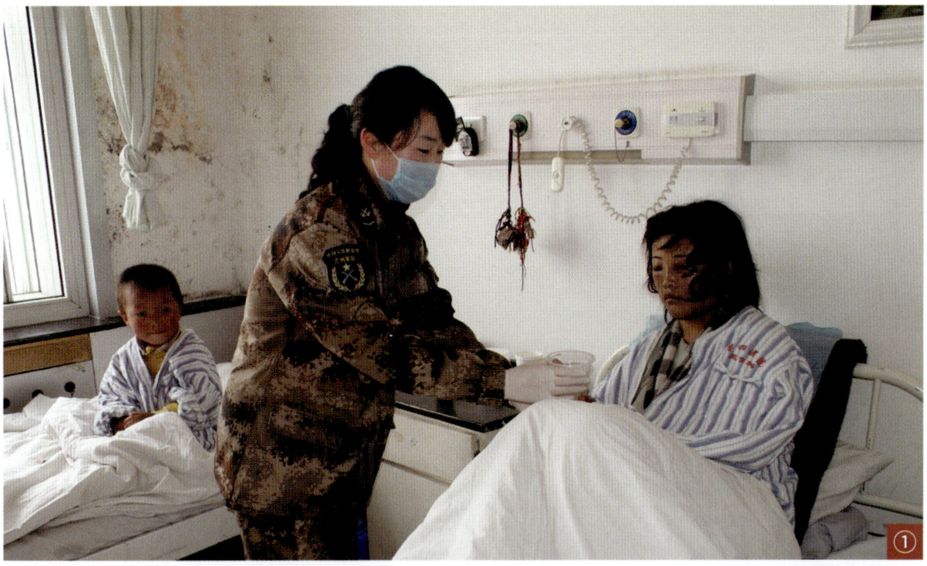

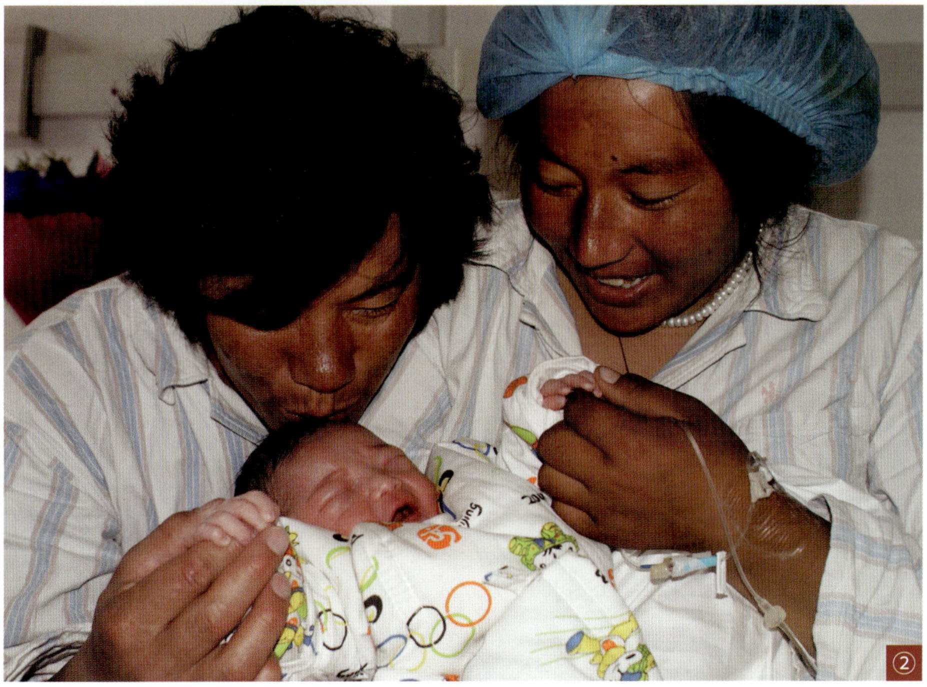

图片说明

① 解放军第 4 医院护理人员为灾区病人送饭
② 新生命为受伤的一家带来了无比的欢乐

三、卫生防疫

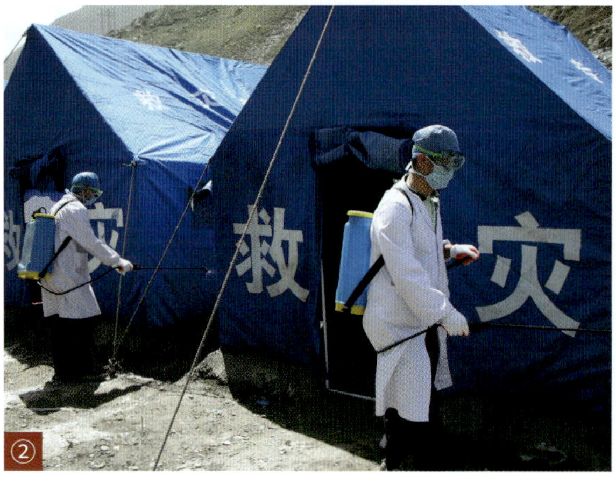

图片说明

① 海西救援队防疫队员在地震灾区进行消毒
② 防疫工作人员对灾区临时安置点进行消毒
③ 青海省农牧厅派出的兽医防疫工作人员为藏獒注射疫苗

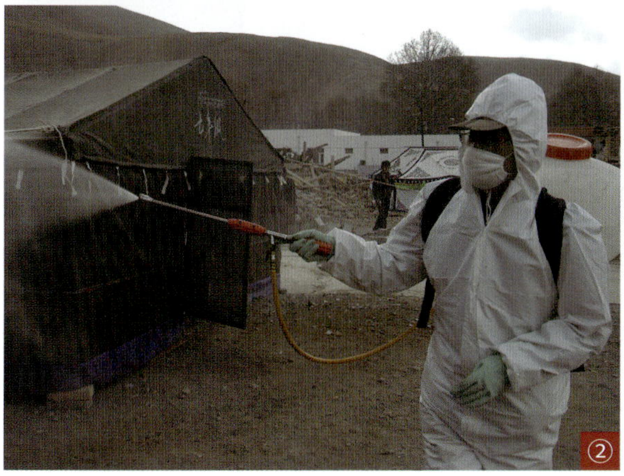

图片说明

① 卫生防疫人员对倒塌的废墟进行消杀灭工作
② 4 月 18 日，武警青海总队出动小分队在灾区进行防疫工作
③ 防疫人员对灾区安置点临时厕所开展消杀灭工作

图片说明

① 青海省农牧厅兽医防疫人员对灾区废墟进行特殊处理
② 青海省农牧厅工作人员对死亡牲畜进行消毒处理
③ 青海省防疫队工作人员在做消毒前的准备工作
④ 青海省疾病预防控制中心协同玉树州疾控中心对脊髓灰质炎病例报告与管理进行规范
⑤ 青海省疾病预防控制中心卫生防疫队工作人员对居民点进行消毒

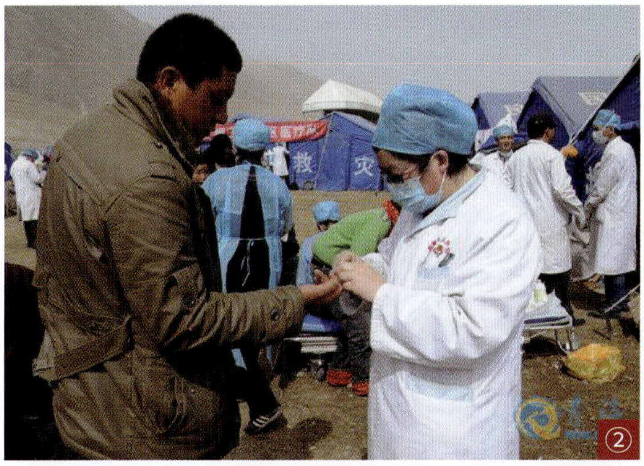

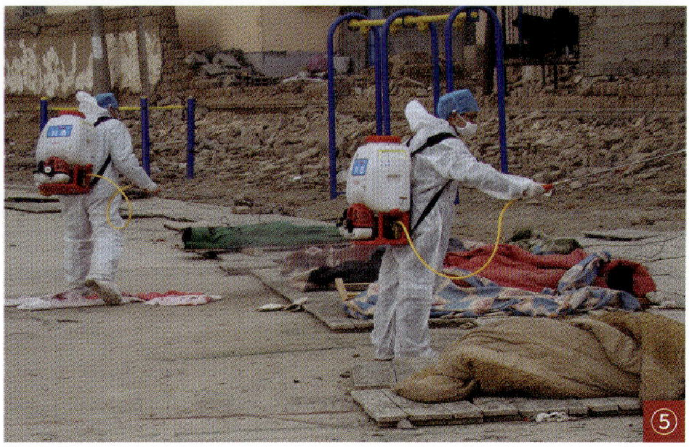

图片说明

① 海北州医务人员在抗震一线进行防疫工作
② 海南州防疫队在灾区人群中进行疫情抽查
③ 防疫人员对临时医院进行消毒
④ 防疫人员开展灭鼠工作
⑤ 青海省疾病预防控制中心卫生防疫人员对遗体进行消毒

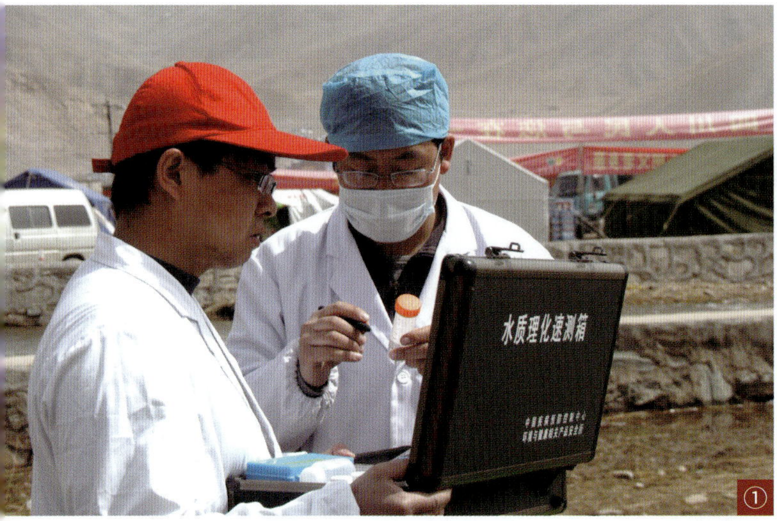

图片说明

① 青海省卫生厅检测人员对居民安置点临时供水点进行水质监测
② 青海省卫生厅卫生监督人员对临时安置点的食品安全进行监督检查
③ 青海省水利厅水质监测人员在水井中取样
④ 青海省环境监测中心站专业人员对灾区地下水进行采样监测

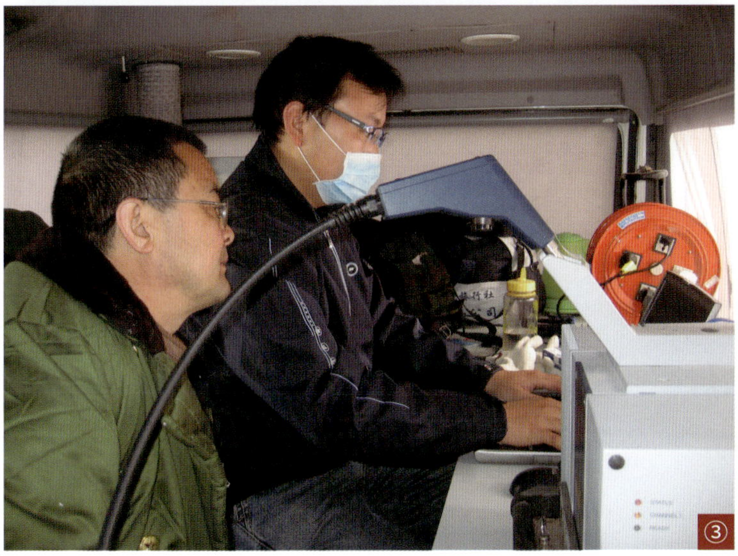

图片说明

① 国家 CDC 传染病预防控制所与青海省地方病预防控制所在玉树灾区开展鼠疫监测工作
② 青海省环境监测中心站工作人员对灾区环境空气质量进行分析
③ 执法人员利用药品快速检测车检测药品
④ 国家卫生应急部门在玉树地震灾区召开会议商讨现场卫生清理防疫问题

图片说明

4月18日，卫生监督人员对地震灾区居民饮用的井水进行水质快速检测

第四节　紧急生活救助

地震发生的当晚，中央财政紧急下拨救灾资金2亿元，用于青海地震灾区的抢险救灾、受灾群众转移安置和生活救助、伤员救治、卫生防疫等工作。中共中央、国务院明确指示，在部署人员搜救、救治伤员工作的同时，要确保灾区群众有地方住、有饭吃、有干净水喝、有病能医。

地震当天，青海省民政厅紧急向灾区调拨5000顶帐篷；民政部紧急从天津、沈阳、郑州、武汉、西安5个中央救灾物资储备库向青海灾区调拨5000顶棉帐篷、5万件棉大衣、5万床棉被，以解灾区民众燃眉之困。震后第一天，青海启动紧急采购程序，为灾区群众采购能满足10万人7天生活需要的方便面、榨菜、饮用水、火腿肠、挂面、饼干、大米等物资。震后第二天，民政部等三部门联合下发紧急通知，决定对因灾无房可住、无生产资料和无收入来源的困难群众，每人每天发放10元补助金和500克成品粮；对因灾造成的“三孤”（孤儿、孤老、孤残）人员，每人每月补助600元。中国人民银行通过“抗震救灾绿色通道”拨付各级政府赈灾资金8.9亿元，并向青海省人民政府捐助500万元。中国红十字会募款（物）逾3000万元。中国地震局、公安部、铁道部等诸多部委积极筹集资金和物资投入灾区，支持抗震救灾工作。

全国各地、各条战线、各个部门，一支支救援队伍、一辆辆救援车辆、一笔笔援助物资，迅速集结，赶往灾区。

一、生活物资抢运

图片说明

全国各地的捐赠物资运往灾区

图片说明

4 月 17 日，玉树巴塘机场转运救灾物资

图片说明

4 月 20 日，解放军总后青藏兵站部运送救灾物资的车队昼夜兼程赶往玉树灾区

①

②

③

④

图片说明

① 驻青海部队运输车队

② 青海省林业局救灾物资运输车队行驶在国道 214 线上

③ 拉运青海省民政厅救灾物资的车队从省会西宁出发

④ 中国石油青海油田公司抗震救灾抢险队拉运救灾物资奔赴灾区

①

②

③

④

图片说明

① 救灾物资车队从青藏铁路公司西宁货运站出发驶向玉树灾区
② 集结在玉树的各类救援车辆和紧急搭建的安置帐篷
③ 4 月 23 日，救援人员将东航空运到玉树的食品卸下飞机
④ 开展抢险救援工作的救援车辆集合待命

二、生活物资供应

①

②

图片说明

① 4 月 22 日，受灾牧民群众在隆宝镇的救灾指挥部领取救援物资

② 青海省商务系统开设抗震救灾商品销售服务点

图片说明

救灾物资源源不断运往灾区

①

②

③

④

图片说明

①②③④救灾物资运抵灾区

①

②

图片说明

①②为灾区群众提供各类饭菜

图片说明

①②③④ 4 月 27 日，为灾区群众供应饭菜

图片说明

①②③解放军第二炮兵官兵为灾区群众提供饭菜

图片说明

① 水利部、北京国际公益互助协会甘泉工程工作委员会、北京华奥科源科技有限公司运送来的水利抗震救灾应急供水车

② 4 月 23 日，玉树灾区第一眼生活用水井出水

③ 青海省水利厅派出打井队及时解决了灾区群众的饮水问题

图片说明

① 水利工作人员为灾区居民接自来水
② 灾区大妈向青海水利工作人员竖起了大拇指

图片说明

①② 消防队员用消防车送来了纯净水

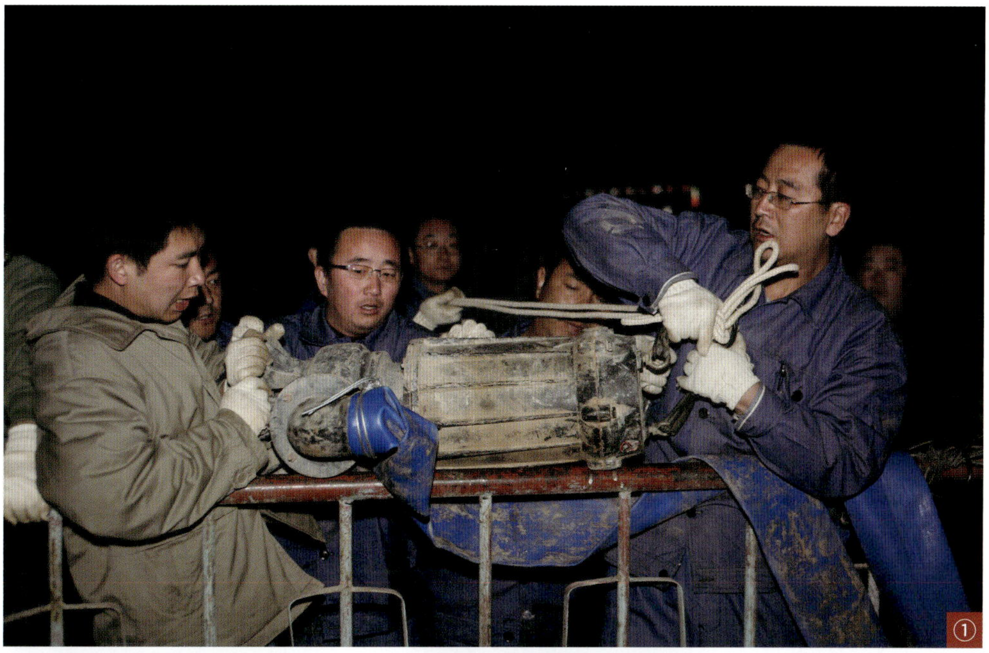

图片说明

① 黄河水电公司抢修救援人员连夜加装排水泵

② 4 月 17 日，黄河水电公司技术人员在禅古水电站发电机房检测受损元件

三、生活物资分发

①

②

图片说明

①②灾区群众领取生活物资

图片说明

灾区儿童领到物资

图片说明

①②③④为灾区儿童发放生活物资

图片说明

①②③④灾区群众领取生活物资

①

②

③

图片说明

①②③领到食品的群众脸上露出了笑容

四、受灾群众安置

图片说明

① 第二炮兵援建玉树州孤儿板房学校落成典礼

② 第二炮兵抗震救灾救援队援建的“帐篷村”在玉树格萨尔广场建成

图片说明

4 月 30 日清晨，玉树县上拉秀乡加吉娘村废墟旁的帐篷区升起袅袅炊烟

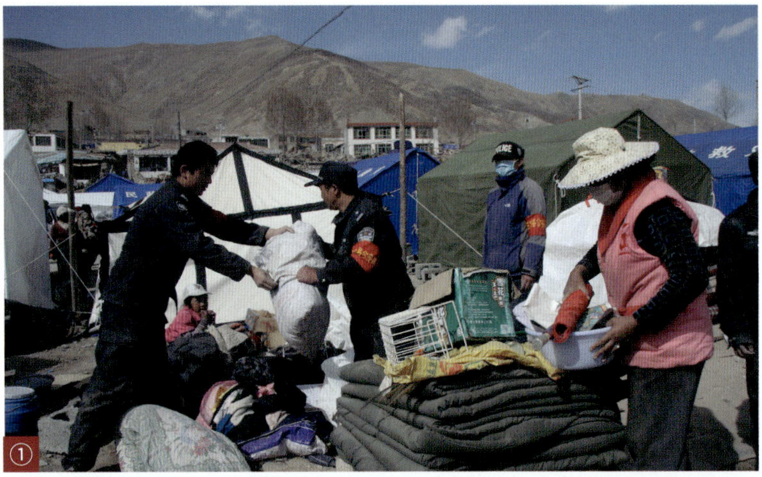

图片说明

① 公安民警安置灾区群众
② 青海冯氏彩钢企业搭起临时板房
③ 4 月 30 日清晨，在玉树县上拉秀乡加吉娘村，一名受灾群众喂孩子吃糌粑
④ 受灾群众住进临时安置帐篷

图片说明

①②③④灾区生活片段

图片说明

① 在结古镇安置点，1 岁的儿童桑宝丹周坐在外婆的怀抱里

② 为重灾区群众搭建活动板房

图片说明

为重灾区群众搭建的帐篷和简易住房

图片说明

为重灾区群众搭建的简易住房

图片说明

为重灾区群众搭建的帐篷

第五节　志愿者支援

地震发生后，来自国内外、各行各业的志愿者成立了多种形式的援助服务队，有青年志愿者医疗队、大学生志愿者服务队、巾帼志愿者服务队、卫生职业技术学院青年志愿队、警官职业学院青年志愿队、青藏铁路志愿队、僧侣志愿队等，还有很多没有留下姓名的“无名英雄”。他们自发自费赶到灾区，第一时间投入抗震救灾，哪里有险情，他们就出现在哪里；哪里有困难，他们就战斗在哪里，不计报酬、不怕困难，播撒着无疆大爱，用实际行动体现着“奉献、友爱、互助、进步”的志愿者精神，有的甚至把生命献给了灾区。其中，来自香港的黄福荣、来自甘肃的“最美新娘”李成环等，为夺取抗震救灾的胜利做出了突出的贡献，他们的名字永远镌刻在玉树同胞的心中。

图片说明

青海卫生职业技术学院青年志愿者在灾区

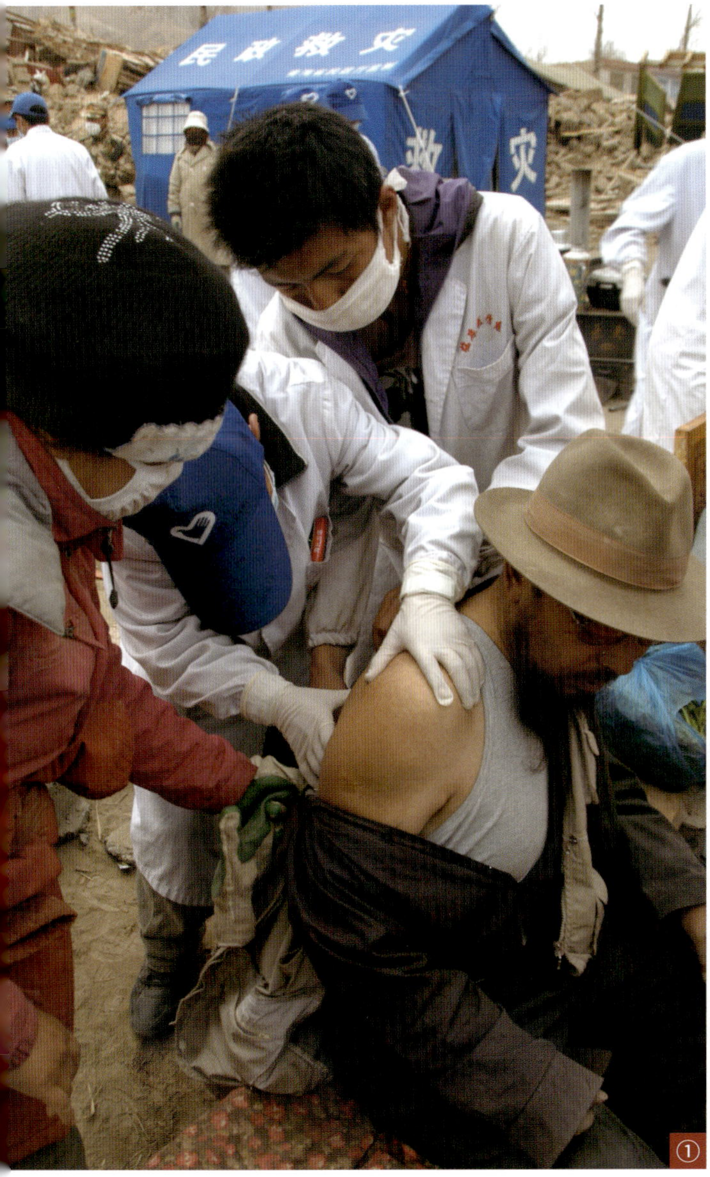

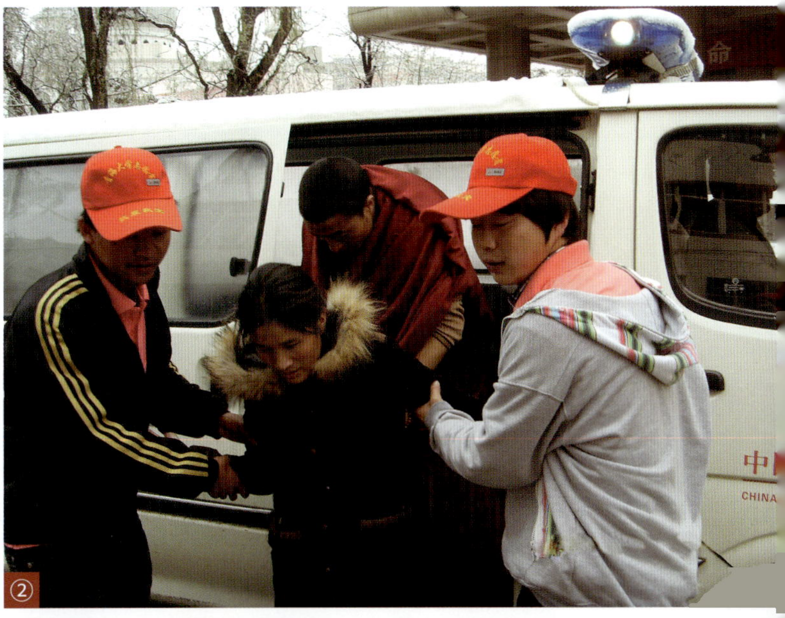

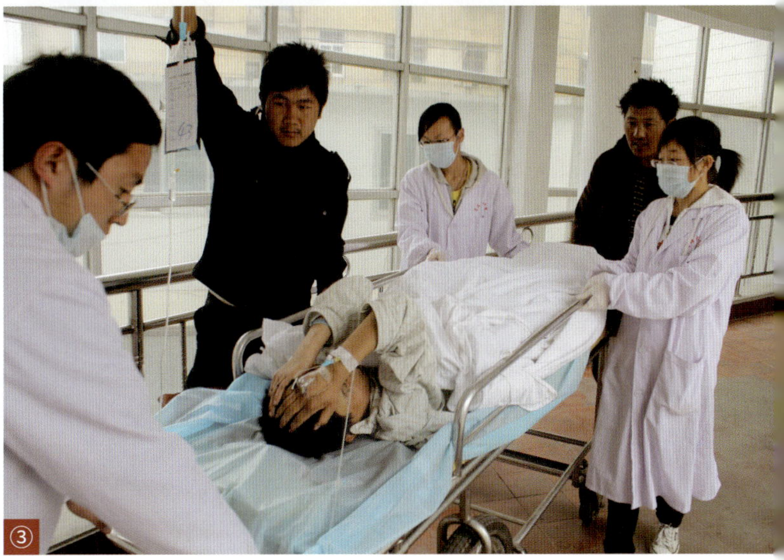

图片说明

① 青海卫生职业技术学院青年志愿者在地震废墟上就地诊治伤员
② 青海大学志愿者协助医疗救护
③ 青海警官职业学院青年志愿者应急服务小分队在医院救护伤员

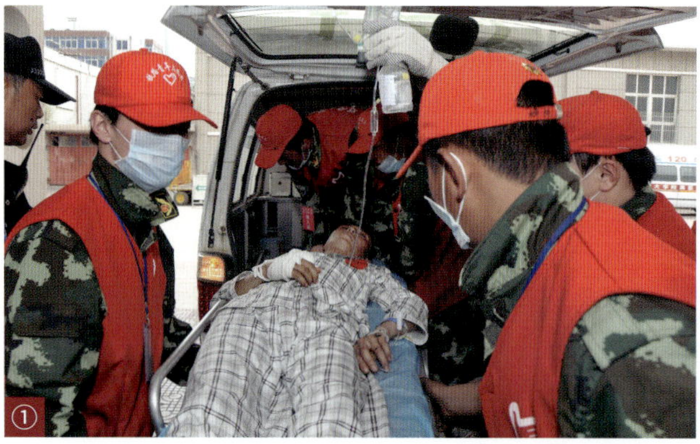
①

②

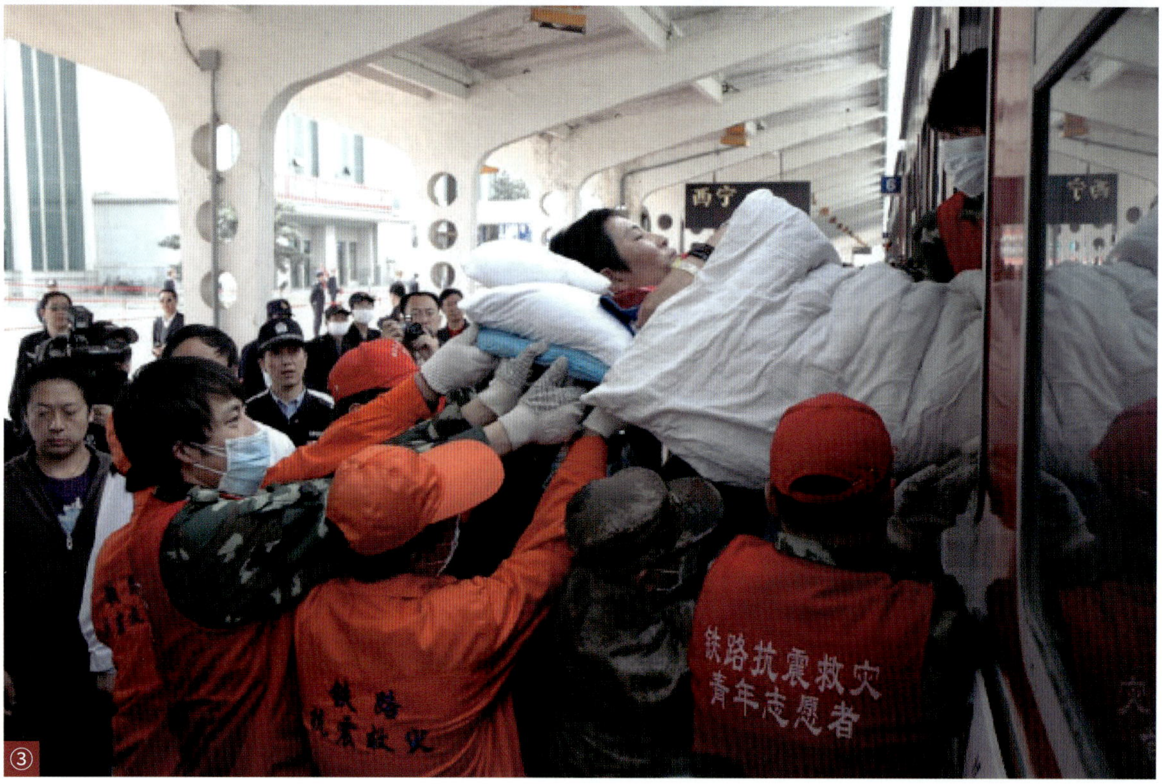

③

图片说明

① 青藏铁路公司青年志愿者将危重病人转至省内医院救治
② 青藏铁路公司青年志愿者向灾区运送救灾物资
③ 青藏铁路公司青年志愿者在火车站转运灾区伤员

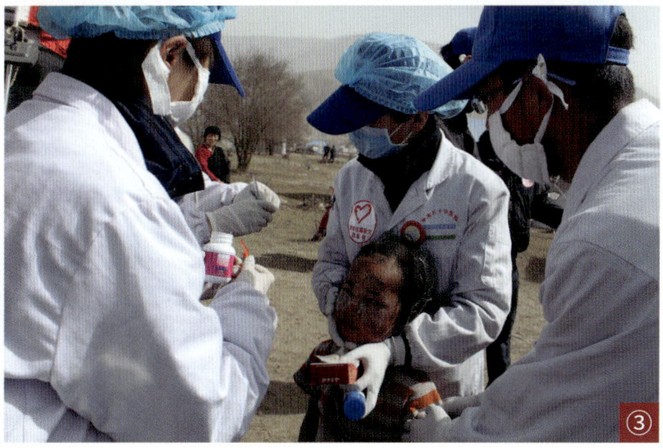

图片说明

① 青海青年志愿者抗震救灾卫生医疗队在玉树开展医疗服务工作
② 青海青年志愿者抗震救灾卫生医疗队诊治受伤灾区群众和患者
③ 青海青年志愿者抗震救灾卫生医疗队在玉树开展医疗救治

①

②

③

图片说明

① 青海省巾帼志愿者服务队在废墟前全副武装，整装待发
② 青海省巾帼志愿者服务队为玉树灾区群众分发救灾物资
③ 青海省巾帼志愿者服务队活跃在满目疮痍的地震现场

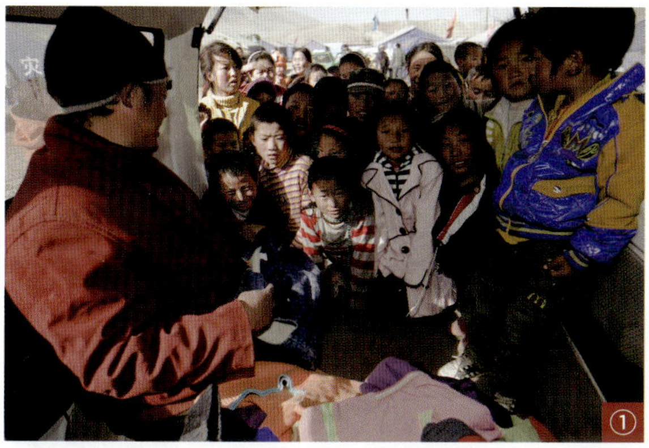

图片说明

① 青年志愿者为灾区小朋友带来了衣物

② 青年志愿者帮助搬运药品等救灾物资

③ 佩戴红十字爱心标志的青年志愿者为灾区学生义务讲课

①

②

③

图片说明

①4月19日，山东志愿者王锦堃（左一）在复课的孤儿学校为学生讲授计算机知识

②来自北京的志愿者汤丹雯（右一）和同事参与救援

③来自西安的辛兔计（左一）带着儿子于玉树地震后的次日凌晨到达灾区当起了志愿者。图为辛兔计与灾区群众在一起

图片说明

① 西宁市爱心志愿者服务队为玉树灾区募捐
② 西宁东川工业园区国税局志愿援助队抵达玉树灾区
③ 西宁市爱心志愿者服务队走上街头顶着烈日为玉树灾区募捐

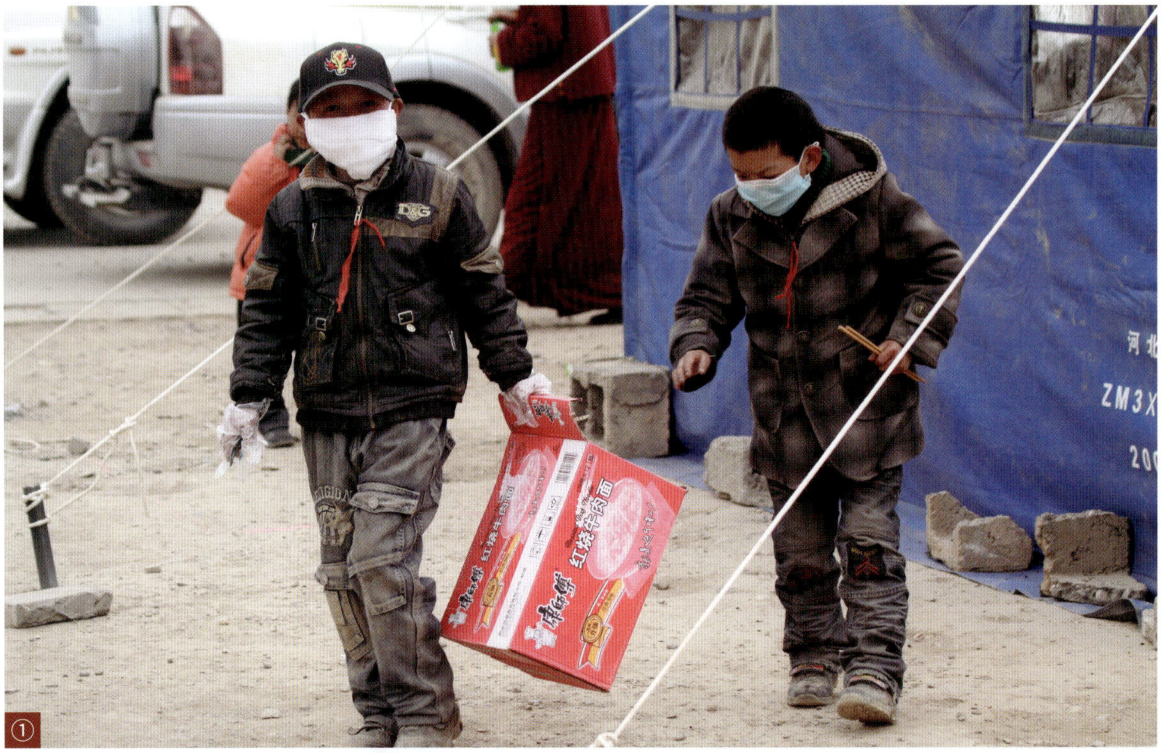

①

②

③

图片说明

① 灾区群众安居点的玉树少年环保志愿者
② 玉树灾区学生志愿者自发清理垃圾
③ 僧侣志愿者为值勤的民警送上热乎乎的奶茶

①

②

③

④

图片说明

① 当地群众自发组织志愿者队伍积极参与抗震救灾
② 消防志愿者配合消防官兵对安置区进行 24 小时的消防安全巡查
③ 4 月 21 日，杂多县志愿者帮助受灾群众清理废墟
④ 僧侣志愿者为前来探望伤员的部队首长做翻译

图片说明

来自香港的双胞胎林家慧、林家欣姐妹于2010年10月在玉树灾区进行随机采访

第六节　基础设施抢修

强烈地震对灾区的基础设施造成严重破坏，水利、电力、市政、交通等生活配套设施及电信、邮政等服务设施陷入瘫痪状态。解放军、武警部队和水利、电力、交通等部门及中央企业及时组织专业抢修队伍，调集多种抢修机械，冒着高寒缺氧、余震塌方滚石等危险，不畏艰难，甘于奉献，日夜奋战在抢修基础设施的第一线。地震发生后，水利部及青海省水利厅组织专家和专业抢险队，开展水文水质调查，抢修供水设施，保证灾区群众基本生活用水。交通部门派出大型机械铲除路面积雪和冻结的冰，抢修损毁的道路桥梁，保证道路畅通无阻。电信企业组织人员抢修、铺设通信线路，使灾区通信及时恢复；青海省广电局、玉树州广电局技术人员及时抢修损坏的广播电视设备。各路抢险队员协同作战，保障了灾区群众的基本生活需求。

图片说明

为确保饮水系统早日抢通恢复使用，各路抢险队员协同作战

①

②

③

④

⑤

图片说明

①4 月 28 日，玉树县禅古电站水库大坝应急除险加固正在加紧进行
②青海省水利厅抢险队队员在铺设主水管道
③公路交通部门派出大型机械铲除路面积雪和冻结的冰，保证道路畅通无阻
④工程人员使用机械抢修通往灾区的道路
⑤4 月 14 日，青海正平集团抢修机场道路

图片说明

① 4 月 18 日，青海省广电局技术人员正在安装和调试设备
② 青海电信抢险队员冒雪抢修现场
③ 通信恢复后，受灾群众向亲友报平安
④ 官兵冒雨清理街面垃圾

图片说明

①4月22日，中国电信玉树分公司员工在检查卫星接收设备
②受灾群众为架设高压线助力
③抢修高压输电线路
④黄河水电公司抢修现场

图片说明

① 国家电网青海省电力公司工人先锋队紧急运送抢修电杆

② 国家电网青海省电力公司抢修玉树结古镇第三路电网线路，武警青海总队第四支队派官兵支援

③ 电力保障用心服务

④ 战斗在灾区一线的国家电网青海省电力公司抗震抢险青年突击队

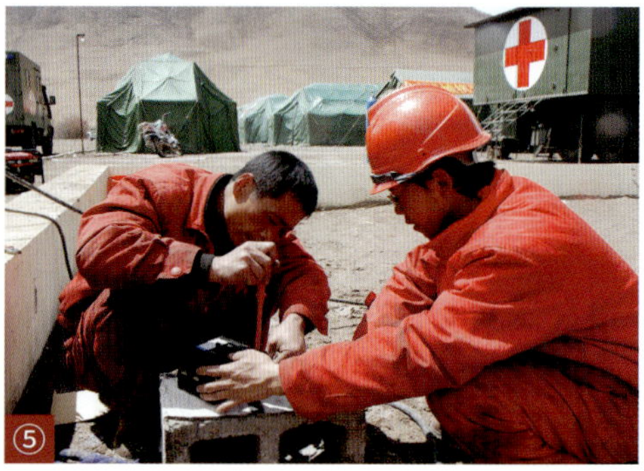

图片说明

① 国家电网青海省电力公司派出抢修队伍抢修高压输电线路
② 青海水电抗震救灾突击队安装变压器，恢复架设输电线路
③ 青海省水利厅抢险队安装柴油发电机
④ 国家电网青海省电力公司第一时间为灾区人民疏通线路
⑤ 中国石油青海油田公司抗震救灾抢险队检修设备

图片说明

① 青海水利抢险队员抢修管道
② 修复水渠
③ 抢修水库水闸设备
④ 日夜奋战抢修灾区受损供水管道
⑤ 为确保饮水健康，抗震救灾指挥部派出工程技术人员取水样化验

第七节　维护灾区治安稳定

地震发生后，为确保灾区社会治安的稳定，玉树当地公安机关一边奋力抗震救灾，一边加强治安防范工作。最先赶赴灾区的四川省甘孜特警支队救援队顶着严寒冒雪巡逻，青海特警和海东地区特警、果洛州特警的身影出现在大街小巷及人员密集区。当地公安机关和援助灾区的特警还加强了对路面、灾区群众安置点、救援物资集散地及废墟周围的巡逻防控，对进出玉树县结古镇的车辆、人员进行严格检查，严防救援物资流失；对扰乱社会治安秩序的行为及时进行处置，对趁灾实施盗窃等违法犯罪行为依法进行严厉打击。公安部门在组织干警加强治安联防工作的同时，还耐心做好群众的疏散工作，维护灾区秩序。为确保救灾人员和救灾物资顺利到达灾区，公安交警不仅在灾区指挥交通，还在通往玉树的沿途执勤，确保道路畅通无阻。公安消防部门在救人的同时，还组织防火检查组，深入受灾群众安置点，开展消防安全检查，宣传消防安全知识；还经常出动消防车辆，主动做好向受灾群众安置点运送饮用水、对受灾群众安置点进行洒水降尘等服务工作。

图片说明

① 公安干警奔赴灾区
② 海北州交警在灾区执勤
③ 海南州兴海县交警在国道旁设立交通标识
④ 果洛州交警在巴颜喀拉山垭口指挥疏导通往玉树的抗震救灾车辆

图片说明

① 玉树政法部门组织群众建立治安联防队开展街面巡逻
② 特警在国道 109 线湟源段加强检查
③ 公安部门组织干警加强治安联防工作
④ 特警夜间巡逻
⑤ 公安民警耐心做好群众疏散工作
⑥ 正在执勤的武警战士

图片说明

公安交警冒雪坚守岗位指挥交通

图片说明

① 海东地区特警在执行巡逻任务
② 青海特警在街道巡逻
③ 果洛州特警在停车场进行巡逻

图片说明

① 4 月 22 日，最先赶赴灾区的四川省甘孜特警支队救援队冒雪巡逻

② 公安民警昼夜巡逻

图片说明

① 玉树州特警在灾区执勤
② 海南州特警在玉树灾区执勤
③ 在西宁火车站执勤的铁路公安民警

第八节　次生灾害检测预警与处置

地震发生后，预防和应对地震灾害次生环境污染事件成为当务之急。玉树抗震救灾指挥部相继下发《关于切实做好玉树抗震救灾工作中的科学施救减少次生事故的通知》和《关于做好地震灾区垃圾处理和厕所设置工作的紧急通知》。与此同时，积极组织力量，进行监测预警，封堵有毒气体、液体泄漏，搜寻化学危险品，转移易燃易爆品，及时清理垮塌的废墟、建筑垃圾和居民临时安置点的生活垃圾，消除各种次生灾害隐患，保护灾区群众的生命财产安全。青海省环境保护厅在环保部前方工作组的指导下，高度重视并及时组织省环境监测中心站专业人员加班加点连续作战两个昼夜，编制完成《青海省玉树地震灾区环境监测应急预警方案》和《青海省玉树地震灾区水污染应急处置预案》；组织专业技术人员监测灾区环境辐射情况，检查灾区饮用水取水点和饮用水水源安全，协调督促玉树州建设局组织施工队伍对乱倾倒的建筑垃圾展开清理和填埋工作。

图片说明

青海省环境保护厅工作人员协调督促清理建筑垃圾

图片说明

①4 月 27 日，工程救援队车辆在结古镇新寨村一处垃圾填埋点进行填埋工作

②③5 月 12 日，环保人员对玉树州职业技术学校实验室有毒有害危险化学品进行处理

①

②

③

④

图片说明

① 青海省质量技术监督局进行特种设备专项监测
② 青海省辐射环境管理站监测人员监测灾区环境辐射情况
③ 环保部、中国科学院玉树地震灾区生态评估专家赶赴隆宝国家级自然保护区现场考察地震对生态的影响程度
④ 青海省气象局气象技术保障人员抢修仪器设备

①

②

③

图片说明

① 玉树交通部门组织力量修复道路
② 汽车被砸得严重变形
③ 洪水来了，工地上部分物资被冲走
④ 大雪给救灾带来了诸多困难和不便

①

②

③

图片说明

① 消防官兵昼夜不停地对安置区进行巡查

② 消防官兵和志愿者给牧民群众讲解灭火器使用方法

③ 消防官兵组织学生开展灭火逃生演练

图片说明

① 青海省水利厅抢险队工程技术人员查看蓄水池震损情况

② 为预防震后洪水灾害，青海省水利水电工程局有限责任公司的施工队伍在加固河堤

③ 为预防次生灾害，水库开闸放水

①

②

图片说明

① 河堤两岸都筑起了应急防洪堤坝

② 加固引水渠渡槽

图片说明

① 主要河道里建起了防洪墙

② 重新铺设水库大坝面板

第九节　抚慰工作

震后的心理重建工作是一个长期、艰苦的过程，需要受灾者的坚强自助，需要专业心理救援人员的科学工作，也需要政府有关部门的统筹协调。震后心理反应一般可划分为3个阶段：应激期、中期和长期。灾情发生后，灾区群众互相帮助、互相安慰，在废墟中挺立起来；全国各地各部门派出专业心理疏导队伍奔赴灾区，抚慰灾区人民。中国科学院心理研究所、青海省社会科学界联合会、西宁市教育局等单位选派心理咨询专家、医生、教师，赴玉树开展工作，为灾区群众进行心理辅导，抚慰地震中受伤的青少年，有的还为灾区孩子寻找失散亲人。各级政府、心理援助者和灾区民众综合作用，形成合力，共同应对灾难，重建精神家园，展现出一幅幅感人肺腑的生动画面。

图片说明

5月13日，第十一届全国政协委员、中国佛教协会副会长、第十一世班禅额尔德尼·确吉杰布在灾区为僧俗群众摸顶赐福

一、安抚伤员及受灾群众

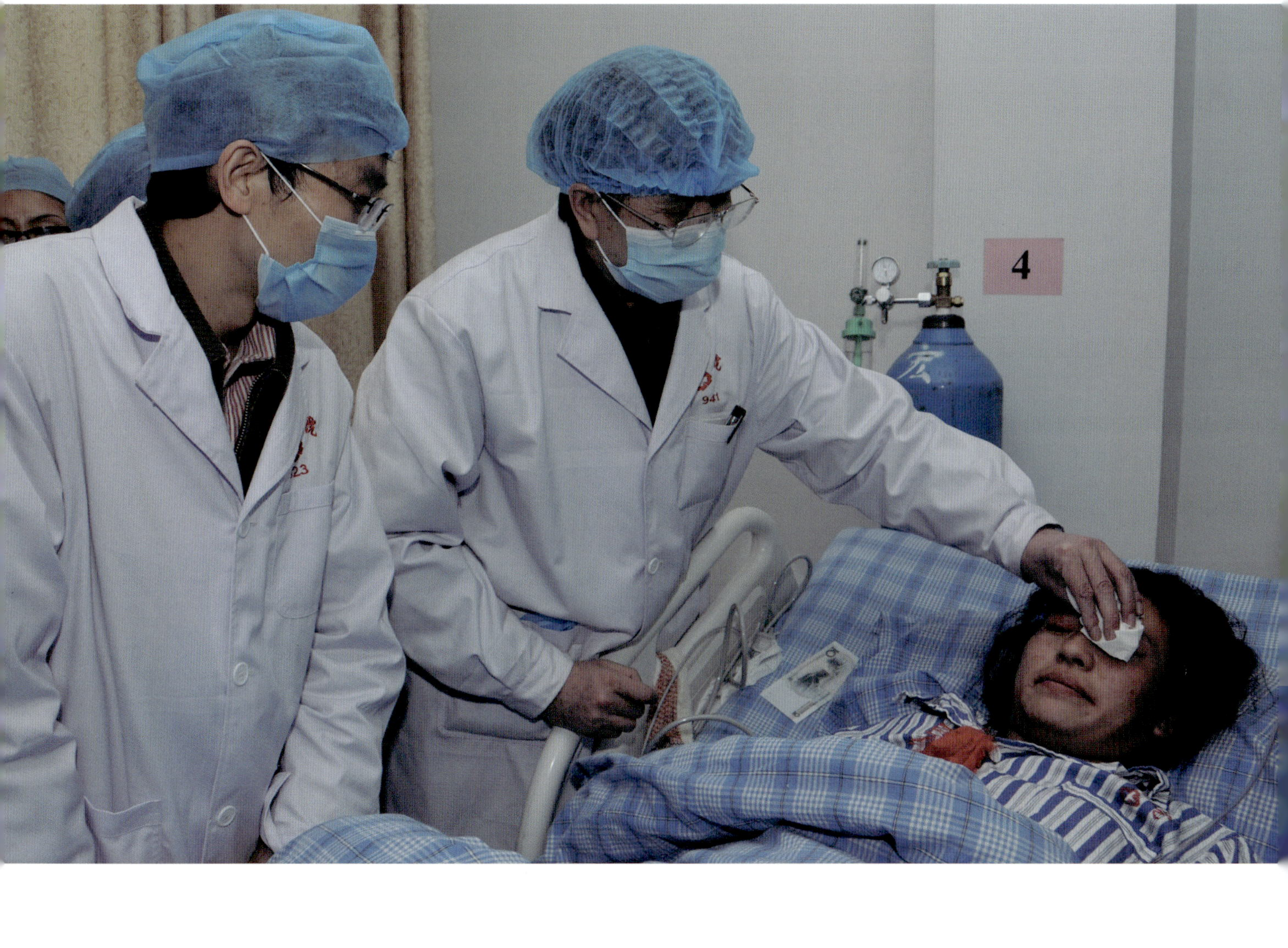

图片说明

医务人员尽全力抚平伤员心中的创伤

①

③

②

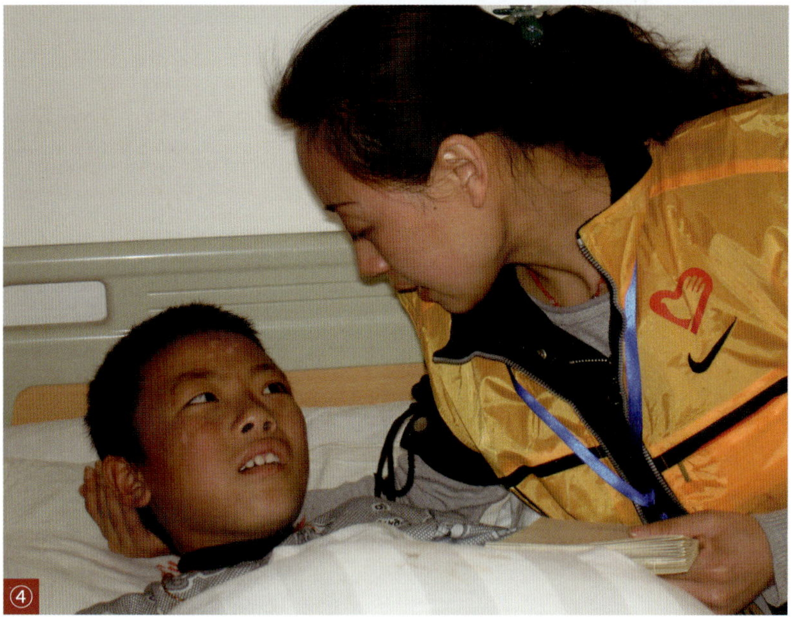

④

图片说明

① 和受灾儿童亲如父子
②"妈妈再吃一口！"
③ 灾区干部安抚受灾群众
④ 女青年志愿者抚慰地震中受伤的少年

二、心理辅导

图片说明

青海师范大学教职员工欢送抗震救灾心理危机干预小组赴玉树灾区

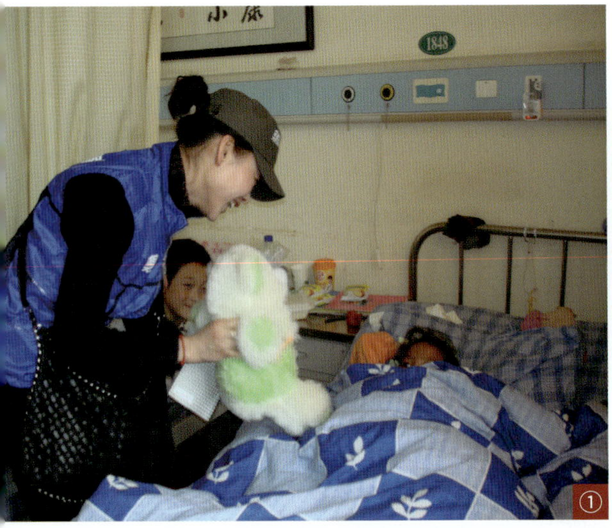

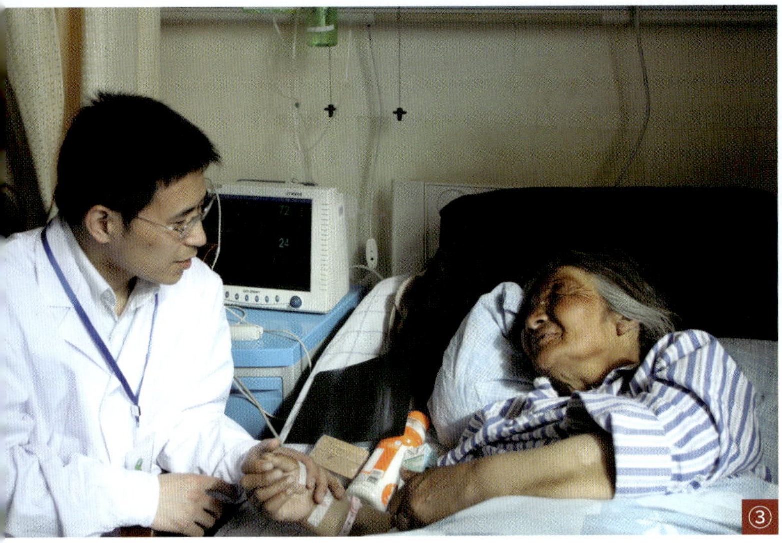

图片说明

①青海省监狱管理局派出心理疏导员分赴省监狱管理局中心医院和西宁市第一人民医院开展伤病员心理疏导工作

②心理辅导老师在开展心理抚慰工作

③医务人员对灾区伤员进行心理辅导

④青海省第三人民医院心理师韩凤玲与藏族妇女巴毛交谈，了解其心理健康状况

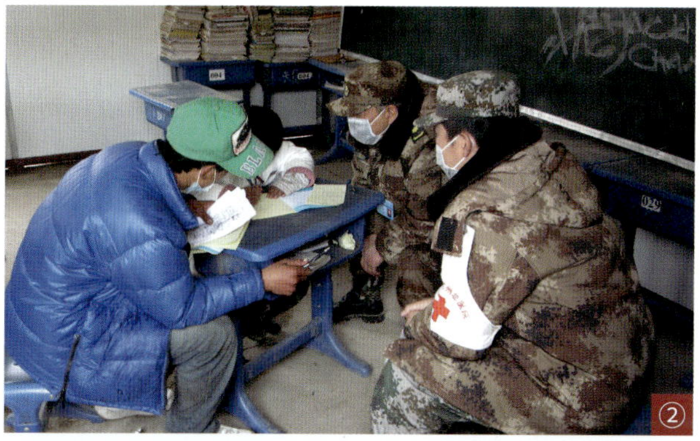

图片说明

① 公安部门派出心理辅导教师专门为在灾区一线抗震救灾的武警战士开展心理讲座

② 兰州军区总医院医疗队为孤儿江西才仁做心理指导

③ 青海省社会科学界联合会、中国科学院心理研究所震后心理援助玉树工作站门前，心理医生与受灾群众促膝交谈

第十节　军民、民族团结

灾难是试金石，检验着军民之间的深厚感情；灾难是面镜子，折射出民族团结的强大力量。地震发生后，驻守玉树的解放军和武警部队官兵第一时间到达现场，第一时间展开救援。置身玉树灾区，到处都能看到解放军和武警部队官兵与各族群众携手抗震救灾的情景。“特警父亲”为孤儿院的孩子们洗脚，“战士儿子”为灾区“妈妈”添衣加被……军民接力，创造了一个又一个奇迹。部队官兵在紧张搜救生命迹象的同时，不忘对死者的尊重，让生命尊严在特殊时刻有了特殊内涵。在玉树地震整个救援过程中，军队共救出了 1584 名被压埋群众。死里逃生的幸存者，在获救的刹那，情绪、言语各不相同，但他们都对解放军充满深深的敬意。

不分民族、不分信仰，在灾难面前，玉树各民族同胞心手相连、守望相助。回族妇女周玉红在医院精心照顾来自灾区的藏族婴儿小才让；回族志愿者马宝祥放弃工作，把救灾物资送到偏远的灾区，并带领小分队在灾区实施救援；西宁市东关清真大寺管委会把穆斯林群众募捐的现金和救灾物资送到救灾现场，并在灾区开展服务工作；很多回族妇女昼夜赶制饼子等食品送往灾区，有的还在灾区免费为群众提供饮食……

这一桩桩军民鱼水情、民族大团结的感人事迹，谱写出一曲曲军民团结、民族团结的动人之歌。

一、警民一家人

图片说明

① 帮助灾区藏族老奶奶和家人团聚
② 果洛州特警为受灾群众搭建帐篷
③ 交警帮助群众推车

图片说明

特警战士细心照顾灾区孩子

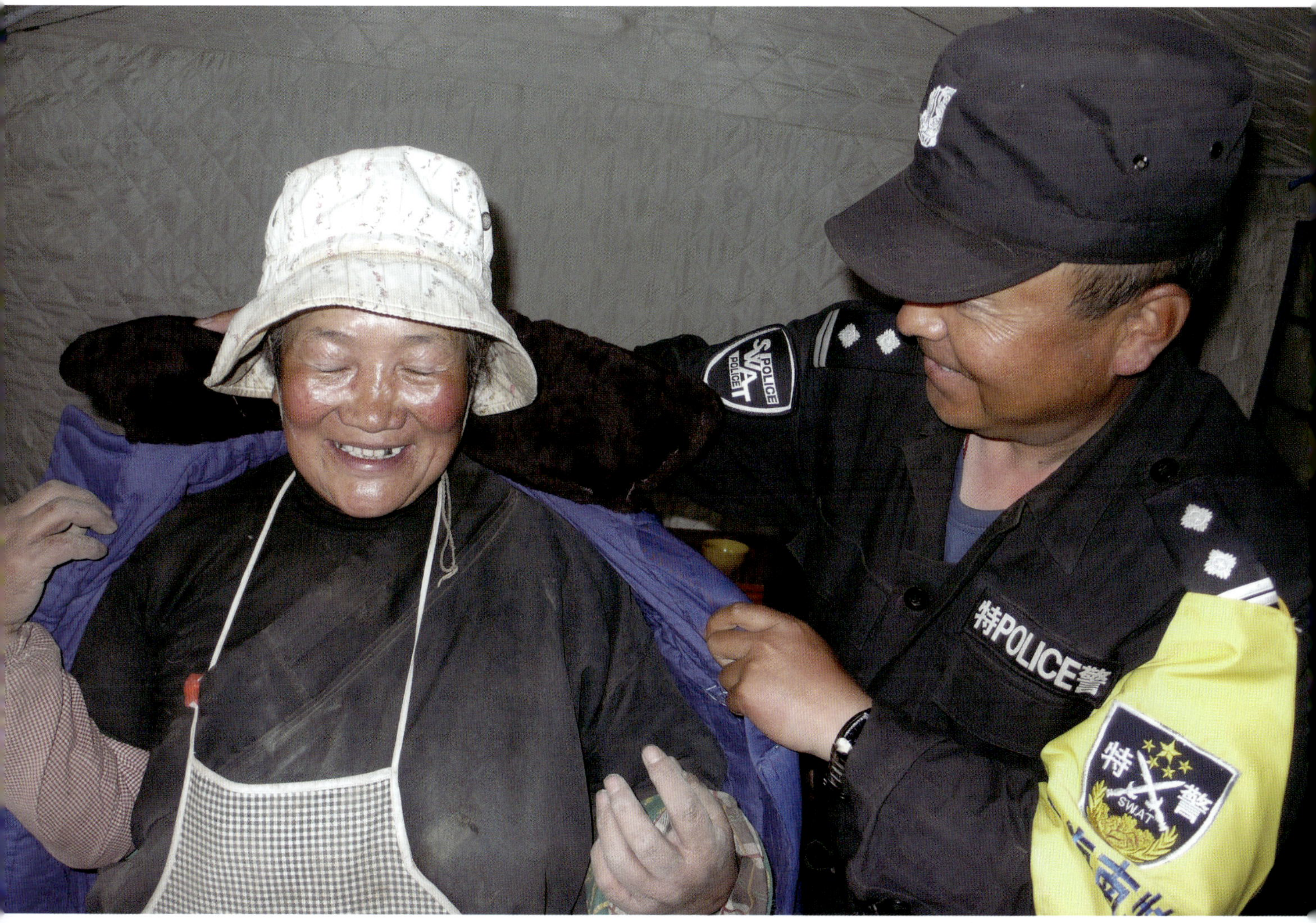

图片说明

特警战士细心照顾灾区老人

图片说明

“特警父亲”为孤儿院的孩子们洗脚

图片说明

武警战士护送受灾老人走出废墟

二、军民鱼水情

①

②

图片说明

① 武警战士与灾区群众在救灾现场携手清理废墟
② 边防官兵为灾区牧民治病

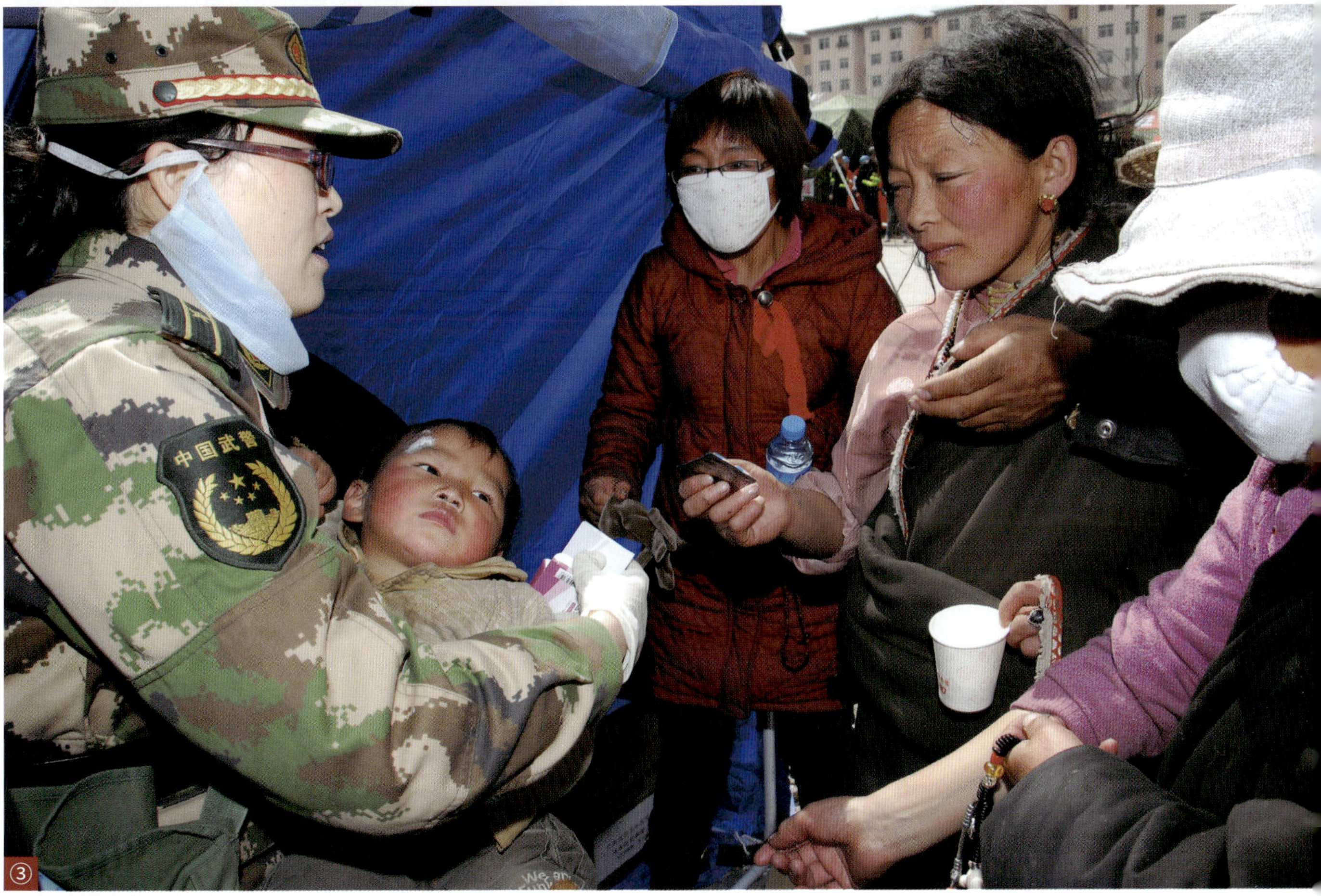

图片说明

①解放军战士为灾区百姓义务理发
②受灾群众为奋战在灾区现场救援的解放军战士们煮奶茶
③武警医疗队医生为受伤的孩子诊治

图片说明

①5月1日，在玉树县结古镇，一名妇女和武警官兵一起清理废墟
② 军民协同大营救，用血与汗谱写感天动地的壮歌
③ 解放军女干部喂藏族老阿妈吃饭

图片说明

① 4 月 29 日，66 岁的藏族老阿妈扎西（右一）从几十公里外的安冲乡阿香村赶来。她一边念着六字箴言，一边眼含热泪挨个给官兵献上洁白的哈达

② 4 月 18 日，解放军官兵在玉树县结隆乡措多村帮助村民搬运生活用品

③ 解放军 86060 部队医疗队女战士教藏族儿童识字

④ 解放军 86060 部队军医与僧侣协作搭帐篷

三、民族团结

图片说明

① 从藏族婴儿小才让入院开始，回族妇女周玉红就主动担当起了照顾小才让的任务，并买来衣服、奶粉等婴儿用品精心护理

② 在病房陪护的回族妇女抱着小才让，脸上露出了灿烂的笑容

图片说明

① 在救灾现场的回族工人，指挥大型挖掘机吊运超重障碍物

② 青海省红十字会“抗震救灾 情系玉树”马宝祥小分队在废墟上实施援助

③ 马宝祥把救灾物资送到偏远的灾区

①

②

图片说明

① 僧民携手救援
② 马宝祥小分队整装待发

第四章
八方捐助

灾情面前，刻不容缓。地震发生后，中共中央、国务院第一时间作出救援部署。从那一刻起，海内海外、四面八方，人力、财力、物力，所有救援力量像潮水一般涌向灾区。

中央和国家机关各部门各单位迅速行动起来，在全力组织抗震救灾工作的同时，积极开展向灾区送温暖、献爱心捐助活动；省内各地区、各机关、各企事业单位迸发出一个共同的声音：一切为了灾区，全力以赴救援灾区；兄弟省（区、市）和社会各界纷纷行动起来，掀起了支援灾区的热潮；港澳台地区各界、海外华人华侨和国际社会组织密切关注地震灾情，以多种形式为灾区尽一份力。

在灾难面前，全国各级党组织迅速行动起来，积极发动党员交纳“特殊党费”，充分发挥党员在抗震救灾中的模范作用；解放军、武警部队官兵和公安干警不仅第一时间投入抗震救灾，还踊跃捐款捐物。

面对全省、全国乃至海外大量捐赠、支援资金、物资，国家有关部委和青海有关部门依法接受（收）、合理配置、规范使用、严格监管，确保捐赠、支援资金物资全部用于灾区、用于受灾群众，最大限度地发挥其应有作用。

众志成城　抗震救灾

第一节　国家部委、机关及企事业单位捐助

真情系灾区，关爱汇暖流。地震发生后，中央和国家机关各部门各单位迅速行动起来，在全力组织抗震救灾工作的同时，积极开展向玉树地震灾区送温暖、献爱心捐助活动。在中央和国家机关的捐助队伍中，有党员领导干部，也有普通干部职工；有白发苍苍的老红军、老干部，也有刚刚跨入机关大门的年轻人。有的老同志不顾天冷路远，坚持拄着拐杖、坐着轮椅来到机关捐款；有的同志正在外地出差，闻讯后立即通过电话委托同事代为捐款；有的同志长期患病、生活拮据，仍积极参加捐款。中央和国家机关干部职工纷纷表示，有中共中央、国务院的坚强领导，有全国各族人民的无私援助，有灾区人民的共同努力，一定能打赢抗震救灾这场硬仗。

工业和信息化部紧急部署灾区工业产品应急保障工作，向灾区紧急调运了发电设备、油料、医疗器械及药品等，还帮助企业向灾区进行物资捐助。公检法部门迅速投入抗震救灾：最高人民法院向灾区法院拨付 50 万元救灾慰问款及一批救灾物资，最高人民检察院向灾区检察机关紧急下拨 50 万元救助专款，公安部紧急向青海省公安厅下拨 150 万元救灾经费。国家质检总局急拨 200 万元。农业部紧急制定地震灾区动物防疫方案，强化重大动物疫病和重要人畜共患病防控工作……

图片说明

① 共青团系统向玉树捐助青少年活动中心复建资金 3500 万元
② 全国妇联向灾区捐助支持妇女儿童恢复重建项目资金 2000 万元
③ 教育部首批复课赈灾物资起运
④ 最高人民法院救灾物资车开往灾区
⑤ 科技部向灾区人民捐款
⑥ 环境保护部支持灾区环境应急监测仪器设备及物资从北京起运

图片说明

① 环境保护部领导为玉树地震灾区捐款
② 住房城乡建设部捐赠的移动饮用水应急保障系统——饮用水应急救援车
③ 水利部长江水利委员会向玉树水利部门捐赠钱物
④ 青海省水利厅接受长江水利委员会捐赠 363 万元
⑤ 4 月 17 日，青海省扶贫开发局党组书记、局长罗松达哇代表灾区接受中国扶贫开发协会捐赠
⑥ 4 月 20 日，中国农业发展银行总行副行长孟献斌一行赴玉树州分行慰问

①

②

③

图片说明

① 4 月 21 日，商务部捐助物资

② 中国质量技术监督局特种设备到达灾区

③ 国家税务总局抗震救灾物资运抵玉树

图片说明

① 住房城乡建设部支持玉树灾后重建资金到了农牧民手中
② 4 月 22 日，教育部首批运往玉树灾区的物资从西宁起运
③ 4 月 17 日，国家广电总局向玉树受灾群众发放直播卫星设备
④ 国家档案局捐助的活动板房，用作玉树州档案馆临时库房和办公场所

第二节　省内各机关、企事业单位及社会各界捐助

地震发生以后，中共青海省委、青海省人大常委会、青海省人民政府、青海省政协机关及各厅局迸发出一个共同的声音：一切为了灾区，全力以赴支援灾区，迅速掀起救灾支援的热潮。各机关、各企事业单位立即组织开展不同形式的捐款捐物活动。4 月 15 日，省委、省人大常委会、省政府和省政协机关党员干部职工开展“我为灾区献爱心”捐款活动。随后，省委办公厅、省纪委办公厅、省委组织部、省委宣传部、省委统战部、省委政法委、省委政研室、省直机关工委等单位的 600 余名干部职工纷纷伸出援助之手。据统计，现场共筹集资金 152445 元。心手相连，各机关党员干部、企事业单位职工用实际行动诠释着“万众一心、众志成城、一方有难、八方支援”的精神。

图片说明

4 月 15 日，青海省委机关工作人员捐款

图片说明

①4月15日上午，青海省人大机关举行支援玉树地震灾区首次捐款仪式，机关200多名干部职工和离退休老干部纷纷伸出援助之手，短短两个小时共捐款116620元

②4月15日，青海省政协机关举行为玉树地震灾区捐助仪式

③青海省政协委员为玉树地震灾区捐款

图片说明

① 民革青海省委机关干部装运救灾物资

② 西宁市副市长、民盟青海省委副主委王绚（左一）带领民盟省委机关干部在省委统战部参加省垣统战系统向玉树灾区捐款活动

③ 民建中央、中华思源扶贫基金会、民建青海省委向玉树灾区捐款捐物

图片说明

① 农工党青海省委与中共青海省委统战部向省红十字会捐赠救灾药品
② 农工党青海省委为灾区再次捐赠价值 261 万元的药品及物资
③ 青海省妇联支援灾区物资运往灾区
④ 青海省红十字会玉树抗震救灾大型募捐活动现场

青海省公安厅机关全体民警向玉树地震灾区捐款献爱心!

抗震救灾
抗震救灾

救灾物资

图片说明

① 青海省公安厅机关民警向玉树灾区捐款
② 青海省公安厅组织的抗震救灾物资准备运往玉树
③ 青海省人民检察院的救灾物资运抵灾区
④ 青海省监狱管理局中心医院向玉树灾区捐赠物资

图片说明

① 青海省统计局、青海调查总队干部职工踊跃为灾区捐款
② 青海省粮食局组织调运到灾区的政府救济粮

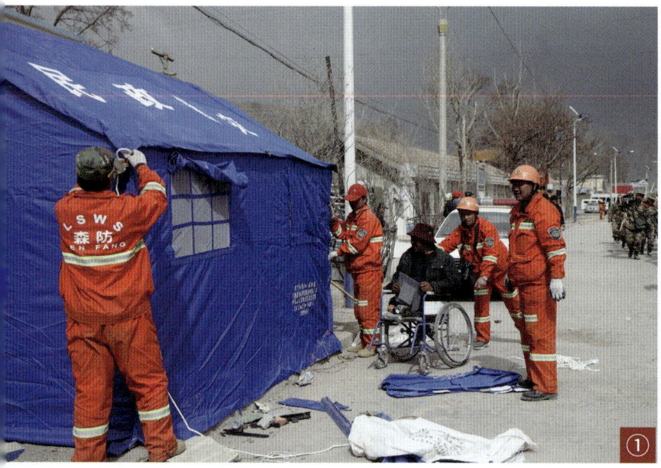

图片说明

① 青海省林业局为灾区群众捐赠帐篷
② 青海省林业局转运救灾物资
③ 青海省水利厅准备送往灾区的救灾物资及设备
④ 青海省环境保护厅干部职工向灾区捐款

图片说明

① 青海省地税系统捐助的食品等救灾物资运抵玉树

② 青海省教育厅购置 80 包价值 12 万元的复习资料紧急运往灾区

③ 青海省直机关向灾区捐款

④ 青海省广电局工作人员正在发放运抵灾区的广播电视设备器材

图片说明

① 青海省人口计生委全体干部职工向灾区捐款
② 青海省体育局为灾区送去救灾物资

图片说明

① 青海省气象局应急保障车到达玉树州气象局
② 青海省民宗委筹集救灾物资送往玉树灾区
③ 青海省民政厅干部职工为灾区捐款
④ 青海省民政系统救灾物资运到玉树

图片说明

① 青海省人力资源和社会保障厅开展“贡献一份力量　奉献一份爱心”活动
② 青海省扶贫开发局组织的运送救灾物资车队开往玉树地震灾区
③ 建行青海省分行将首批抗震救灾物资送往灾区

①

②

图片说明

① 青海省水利水电集团公司各下属单位献爱心捐款

② 青海金大地现代农业发展有限公司董事长、民盟盟员景耀武（左一）向灾区捐款 10 万元

图片说明

① 青海油田公司代表中国石油向灾区捐款
② 青海油田公司向玉树灾区捐款

红烧牛肉面

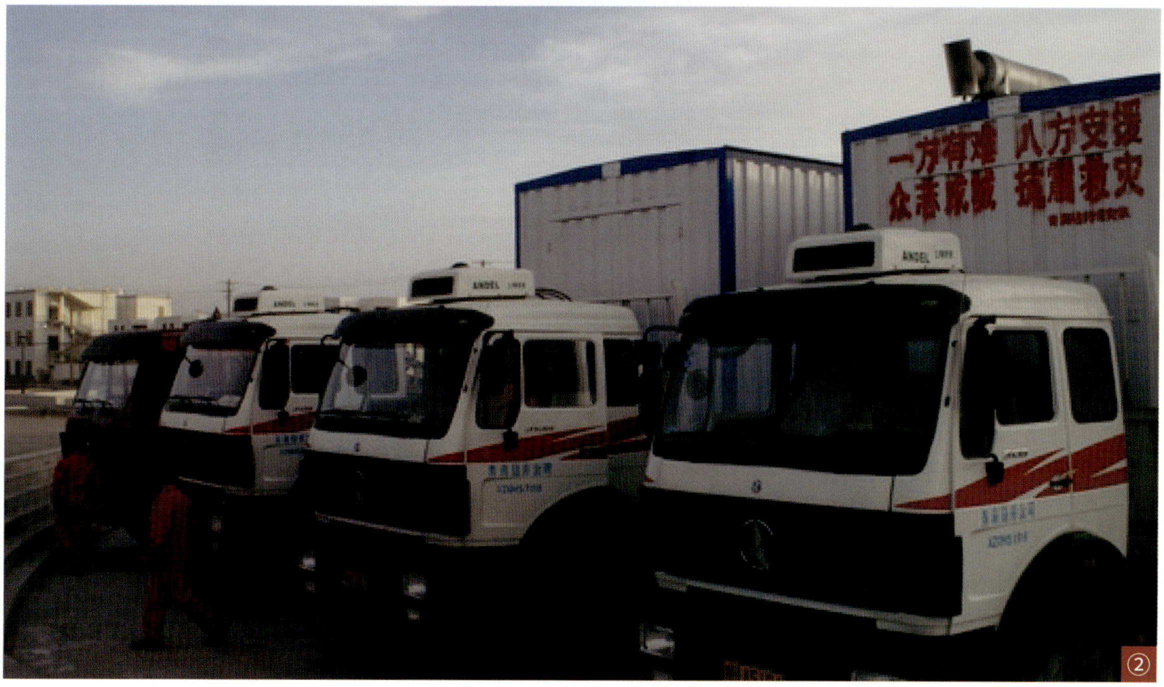
一方有难　八方支援
众志成城　抗震救灾

图片说明

①青海油田公司抗震救灾抢险队搬运捐赠物资
②青海油田公司支援灾区柴油发电机

①

②

③

图片说明

① 青海省投资集团救援队员装载救援物资
② 4 月 15 日，西部矿业集团有限公司向灾区捐助价值 100 万元的物资
③ 4 月 15 日，西部矿业集团有限公司向灾区捐赠的食品、水等救灾物资

图片说明

①4月16日下午，青海省经委和青海省国资委组织省垣企业界为灾区捐款捐物

②6月12日，西钢集团公司运往玉树灾区的第一批钢材陆续装车起运

③西钢集团公司员工为灾区运送大米

图片说明

① 青海省女企业家协会举行心系玉树灾区捐款仪式

② 青海省社会组织向玉树灾区捐赠仪式

图片说明

① 退休老干部为玉树灾区献爱心
② 青海省工商系统人员为灾区献血
③ 青海师范大学学生们利用课余时间预约登记献血
④ 青海警官职业学院学生积极加入无偿献血者队伍

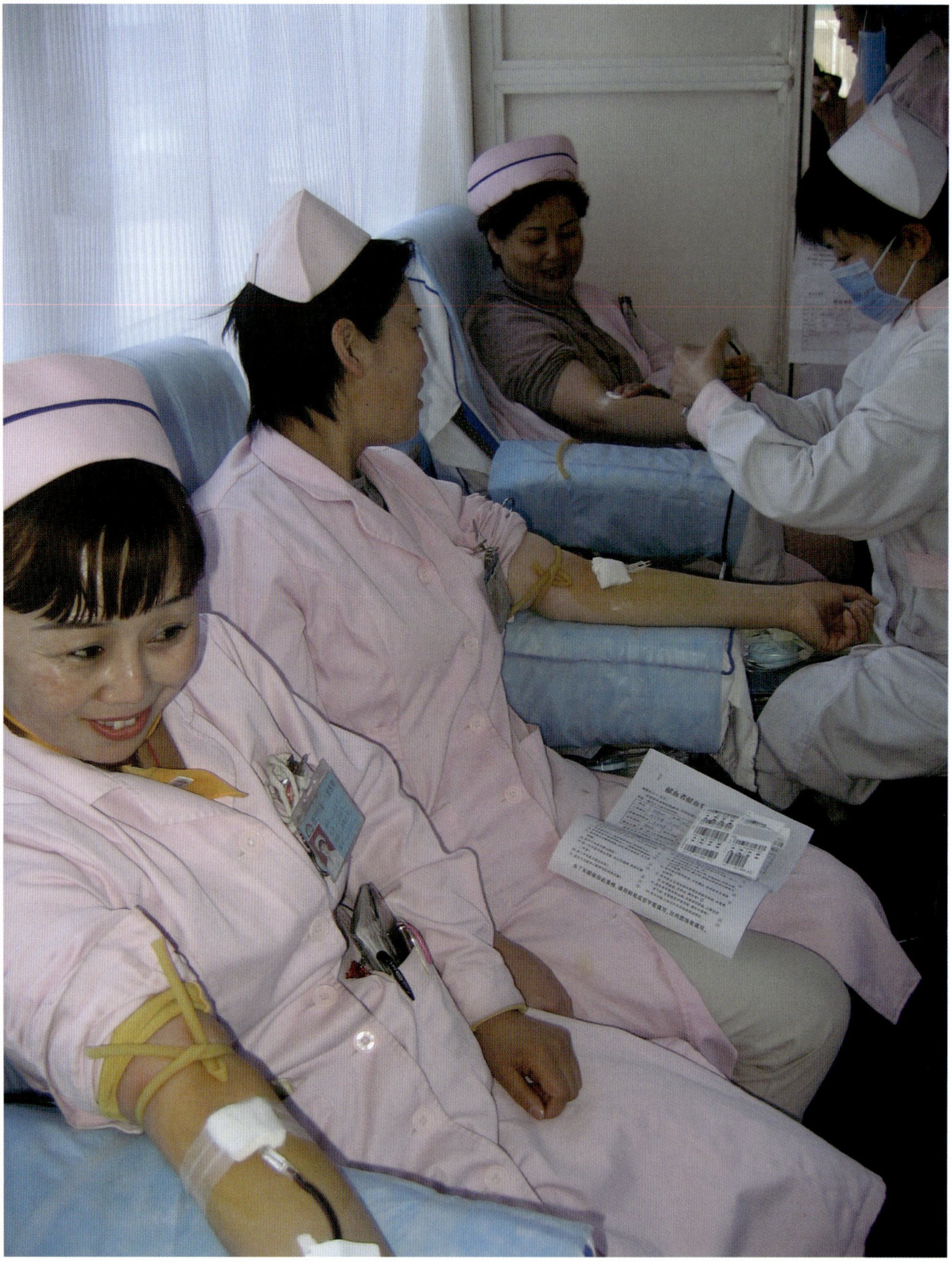

图片说明

卫生医疗系统职工为灾区献爱心

图片说明

① 企业职工纷纷为灾区奉献爱心，用献血拯救生命

② 塔尔寺僧众向灾区捐款

图片说明

① 西宁东关清真大寺举行捐赠仪式
② 青海省道教协会向灾区捐赠救灾物资
③ 青海省基督教界向灾区捐款
④ 群众为灾区捐款现场

第三节　省内各州（地区、市）捐助

地震发生后，青海省西宁市、海东地区、海西蒙古族藏族自治州、海南藏族自治州、海北藏族自治州、果洛藏族自治州、黄南藏族自治州以及各州（地区、市）的各部门、各单位、各县市，社会各界积极行动起来，捐款捐物并第一时间送往灾区。

图片说明

西宁市教育系统 4 月 19 日向玉树灾区捐款 160 万元

一、西宁市捐助

①

②

图片说明

① 4 月 18 日，西宁市在新宁广场举行向灾区捐赠仪式

② 西宁市城西区海湖路批发市场经营商户及市民为灾区捐款

图片说明

① 西宁市城西区西关大街街道办事处为受灾群众捐款

② 西宁市司法局机关处室、所属公证处、律师事务所工作人员为灾区捐款

③ 大通回族土族自治县人民法院干警为灾区捐款

①

②

③

④

图片说明

① 西宁市红十字会组织捐款

② 青海日月山旅游汽车公司向灾区人民捐款

③ 4 月 15 日上午，西宁市纪委监察局干部职工参加市委、市政府统一组织的捐款活动

④ 西宁市机关干部职工踊跃捐款

图片说明

① 西宁市农牧和扶贫开发局干部职工捐款
② 西宁市民踊跃为灾区献爱心

图片说明

① 湟源县举行抗震救灾捐款仪式
② 西宁市第一人民医院医护人员为灾区捐款
③ 西宁市房产局局属各单位捐款现场
④ 西宁市各地开展救灾捐赠活动

图片说明

① 西宁市城中区仓门街办事处向灾区捐款
② 西宁市司法局干部在灾区开展法律服务活动
③ 青海省大通粮食储备库、大通面粉公司和发达面粉公司支援灾区的面粉车辆整装待发

①

②

③

④

⑤

图片说明

① 4 月 16 日 15 时，西宁市国家税务局第一批抗震救灾物资安全抵达玉树州赛马场国税局安置点
② 西宁市妇联、市教育局庆“六一”儿童节慰问玉树学生的慰问品
③ 4 月 19 日，玉树受灾群众搬运西宁市捐赠的救灾物资
④ 西宁市直机关工委对玉树抗震救灾物资进行整理打包
⑤ 西宁市房产局支援灾区的活动板房车队

二、海东地区捐助

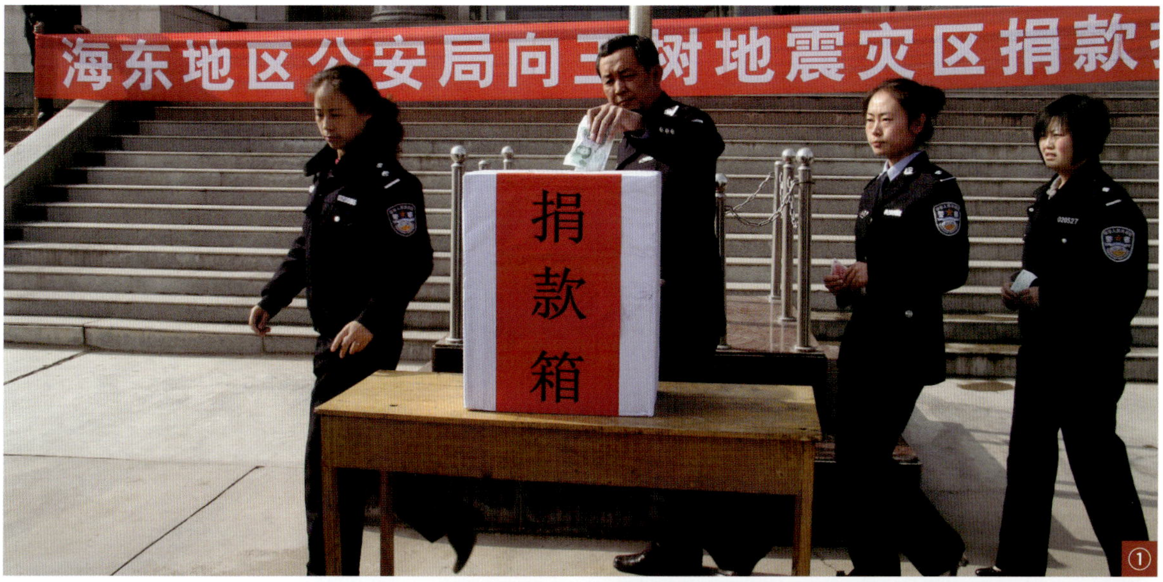

图片说明

① 海东地区公安局民警向灾区捐款
② 乐都县妇联积极组织捐款献爱心
③ 民和县公安局民警向灾区捐款

三、海西州捐助

图片说明

① 海西州格尔木市公安局民警向玉树灾区捐款
② 海西州都兰县政法干部在灾区发放捐赠物资
③ 海西州天峻县救援队在玉树州职业技术学校现场发放捐赠物资

四、海南州捐助

图片说明

① 海南州支援玉树灾区动员大会暨募捐仪式现场
② 海南州工商企业捐款现场
③ 海南州农牧民群众捐款捐物
④ 海南州农牧民群众为灾区捐赠的糌粑和焜锅馍馍
⑤ 海南州捐款现场

五、海北州捐助

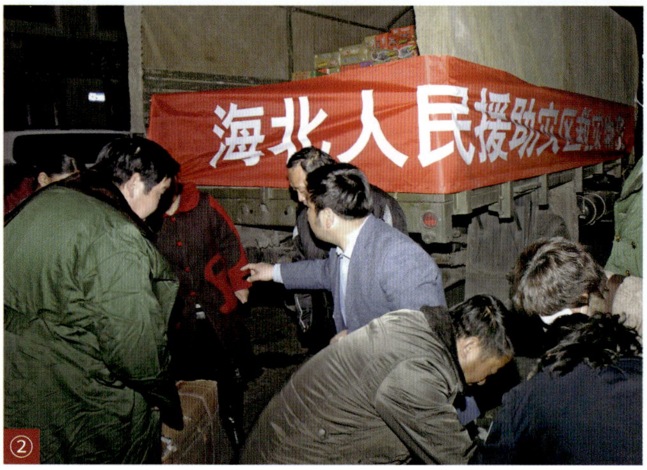

图片说明

① 海北州社会各界向灾区捐款捐物
② 地震发生后，海北州连夜向灾区发送救灾物资
③ 海北州干部群众纷纷为灾区捐款

六、果洛州捐助

图片说明

① 果洛州企业界代表为灾区奉献爱心

② 果洛州青少年为灾区捐款

七、黄南州捐助

①

②

③

④

图片说明

① 黄南州委、州政府向灾区捐赠慰问金 20 万元
② 黄南州各族各界捐赠的各种物资
③ 群众为玉树灾区募集资金
④ 黄南州藏族群众为灾区赶做的馍馍

第四节　全国各地各界捐助

地震发生后，全国各地和社会各界迅速掀起支援灾区的热潮。从城市到乡村、从部队到厂矿、从机关到基层、从街道到学校，心系灾区，为国分忧，以多种形式纷纷捐助资金和物资，支援抗震救灾，表达对灾区群众的一片爱心。

图片说明

北京市人民政府向玉树灾区捐赠学校生活用车仪式

图片说明

①4月24日，甘肃民革为玉树灾区捐赠救灾物资价值30万元

②5月7日，中共甘肃省委统战部、甘肃省工商联、甘肃省光彩事业促进会向玉树灾区捐款120万元

图片说明

① 灾区的同学们在阅读山西省长治市各学校捐赠的图书
② 山西省长治市向玉树县第一民族中学捐赠米、面、鸡蛋等
③ 4 月 23 日，共青团陕西省委向玉树灾区捐赠人民币 100 万元、物资价值 65 万元
④ 四川大学华西医院为玉树灾区捐赠医疗救治物资价值 800 万元

①

②

③

图片说明

① 农工党四川省委和日本友人向玉树灾区捐赠价值 36 万元的药品
② 四川省广元市支援玉树地震灾区救灾物资到达灾区
③ 河北省妇女与灾区妇女心手相牵

图片说明

① 内蒙古自治区律师协会向玉树灾区捐款捐物

② 山东省东营市消防官兵为灾区同胞送来救灾物资

③ 4月19日，河南省民盟盟员刘磊（中）捐赠价值370万元的物资

④ 4月15日9时，浙江省奥默医药技术有限公司向灾区捐赠抗缺氧保健品

图片说明

① 辽宁省委、省政府向玉树捐赠人民币 200 万元

② 上海、广东等地向玉树州伸出援助之手

图片说明

①4 月 18 日，由新疆维吾尔自治区哈密市 70 多家烤馕店赶制的烤馕，通过晾晒、装箱直接运往玉树灾区

②4 月 20 日，玉树受灾群众在山东诸城爱心车队救灾物资分发点领取物资

③4 月 25 日，江苏省南京市红十字会、江苏绿溢投资有限公司支援玉树灾区的送米车队从南京发车

图片说明

北京大学汇丰商学院向玉树灾区捐款 157 万元

①

②

图片说明

① 北汽福田汽车股份有限责任公司向玉树灾区捐赠时代汽车 10 辆

② 4 月 27 日，民革北京市委捐助的价值 45 万元的救灾物资送抵西宁

图片说明

①6月10日，北京市人民政府向玉树捐赠学校生活用车仪式

②天津市向玉树地震灾区统计调查系统捐款仪式

①

②

③

④

图片说明

① 重庆科瑞制药有限责任公司、青海省富康医药连锁有限公司向玉树灾区捐赠药品、资金

② 浙江省慈善总会、FM93 交通之声、钱江晚报向省教育厅转交为玉树灾区 2.1 万名孩子购置课桌椅的爱心款 315 万元

③ 中华见义勇为基金会理事单位天狮集团向玉树灾区捐助资金及物资

④ 湖北省东风渝安车辆有限公司向玉树公安机关捐赠警用车辆

图片说明

① 四川绵阳丰谷酒业的救灾捐赠车队

② 中国人寿保险股份有限公司、佛山电器照明股份有限公司、中国移动青海公司在青海卫视赈灾募捐晚会上为玉树灾区踊跃捐款

③ 中国邮政集团公司向玉树捐赠价值 20 万元的救急药品

图片说明

①4月16日，中国佛教协会会长传印长老为地震灾区捐款2万元

②4月23日，玉树宗教界接受省外宗教团体的捐款

①

②

图片说明

① 5 月 3 日，“情系灾区　爱心无界”著名国画家陈海作品抗震救灾义展义卖活动在北京举行。该活动由中华思源工程扶贫基金会等单位主办，共拍出陈海作品 10 余幅，所得的 155 万元全部用于青海玉树地震灾区的灾后重建工作

② 中国扶贫开发协会为禅古村沙石料厂捐赠的机械设备

图片说明

① 中国扶贫开发协会为玉树地震灾区捐款

② 5 月 4 日，陕西省《小哥白尼》杂志社为玉树灾区捐赠图书

③ 中国摄影家协会向灾区爱心捐赠 32500 元

第五节　军队和公安干警捐助

解放军、武警部队官兵和公安干警不仅第一时间赶赴灾区、第一时间投入抗震救灾，在行动上成为抗震救灾的“脊梁”，还踊跃捐款捐物，从物质层面支援灾区。

图片说明

4 月 20 日，藏族老阿妈看到解放军总后青藏兵站部运送物资的车队时双手合十祈祷

图片说明

86060 部队运送物资车队翻越巴颜喀拉山

图片说明

① 86060 部队第一批救灾物资到达西宁

② 第二炮兵驻青海部队向灾区捐赠了多种物资

③ 第二炮兵驻青海部队官兵向玉树地震灾区捐款 600 万元

图片说明

①第二炮兵向灾区捐款 1000 万元
②兰州军区官兵为灾区踊跃献血
③人民子弟兵在转运捐赠物资
④部队的捐赠物资源源不断运抵玉树灾区

①

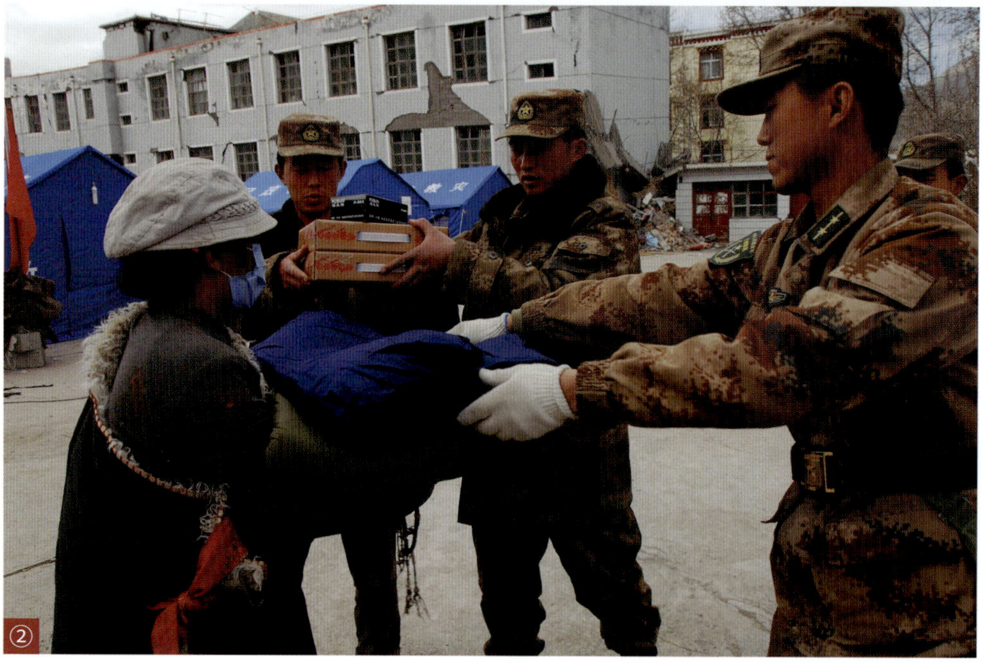
②

图片说明

① 解放军为灾区群众提供可口的饭菜
② 解放军将捐助物资送到灾区群众手中

图片说明

4 月 17 日，结古镇扎西大同村居民领到兰州军区某部运来的棉衣、棉被

图片说明

① 中国空军向玉树灾区捐赠“春蕾计划”项目 643.2 万元

② 解放军救援官兵为灾区群众发放饮料、食品

图片说明

① 青海省消防总队官兵向玉树灾区捐款
② 武警海西支队官兵搬运支援玉树抗震救灾的物资

图片说明

武警部队向玉树地震灾区捐款800万元

第六节　港澳台地区捐助

地震发生后，港澳台同胞，香港、澳门特别行政区红十字会和台湾红十字会等各种组织开展各种募捐活动，以多种形式为玉树地震灾区尽自己的一份力。

图片说明

香港陈廷骅基金会向玉树灾区捐助专项基金

①

②

图片说明

① 香港佛光会向玉树地震灾区捐赠棉被仪式

② 成龙慈善基金会向玉树灾区捐款捐赠物资仪式

图片说明

① 香港工会联合会为玉树地震灾区筹募善款

② 4 月 23 日，香港各界继续捐款赈济地震灾区

图片说明

① 澳门红十字会送来了澳门特别行政区同胞捐赠的物资

② 澳门中华总商会向玉树灾区捐款 1248600 澳门元

图片说明

① 5 月 17 日，澳门普善佛堂、普善佛教慈善会、田耕阁素缘食向灾区捐款 58000 澳门元

② 4 月 22 日，澳门万国控股集团向玉树地震灾区捐赠物资

图片说明

① 澳门同胞开展形式多样的捐助活动

② 5月27日，澳门中学学生联合总会、澳门中学新青年总会向玉树灾区捐款680000澳门元

①

②

图片说明

① 台湾红十字会组建的台湾红十字医疗救援队抵达青海参加应急救援工作

② 台湾伊甸基金会捐赠玉树孤儿学校首笔重建经费

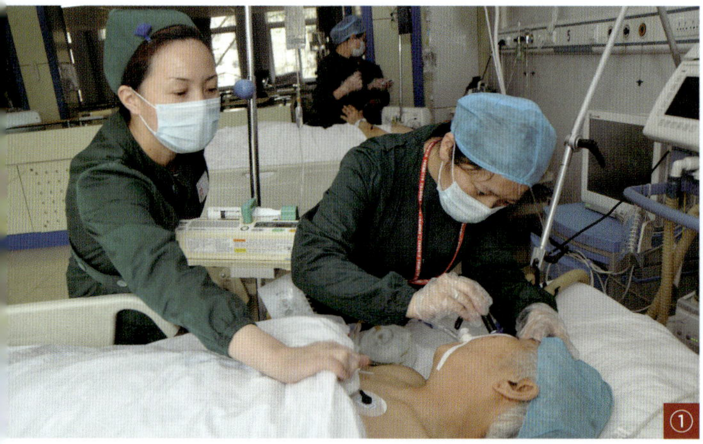

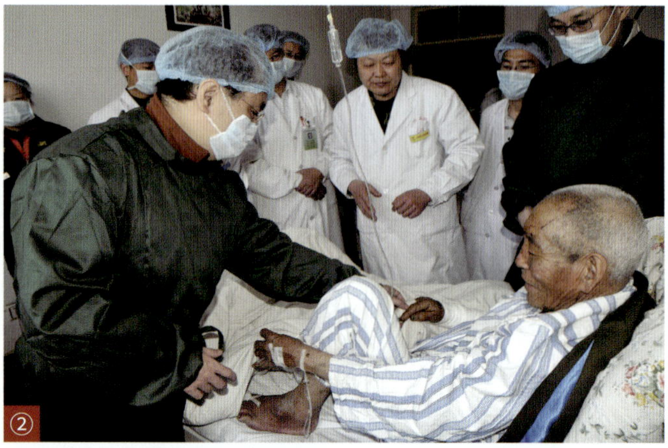

图片说明

① 台湾医疗队员为患者治疗
② 4 月 23 日，台湾医疗救援队的专家（左一）在青海格尔木铁路医院参与对玉树地震伤员的会诊
③ 台湾医疗队员精心护理灾区伤员

第七节　国际社会捐助

玉树大地震发生后，联合国有关组织和许多国家的政府、红十字会等组织、企业密切关注玉树地震灾情，并通过中国红十字会等相关组织向灾区捐款捐物。

①

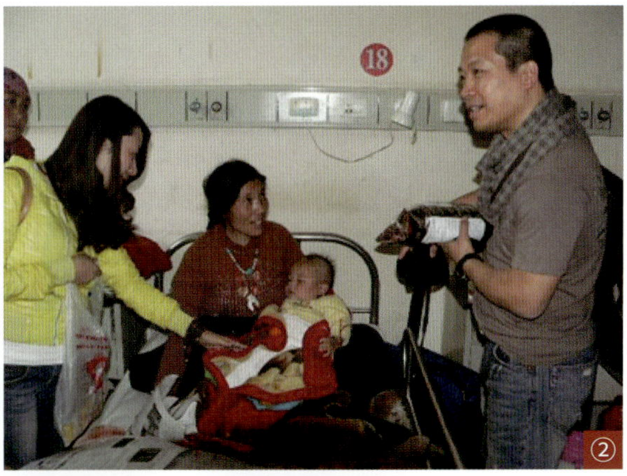
②

③

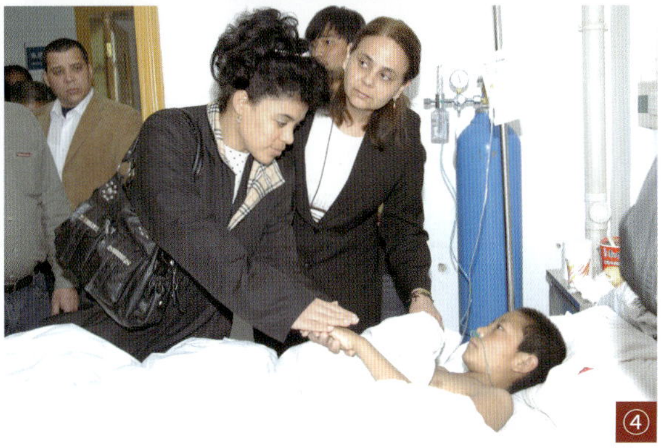
④

图片说明

① 联合国儿童基金会捐助的 150 顶教学帐篷运往灾区

② 世界儿童基金会中国区项目总监林春雷一行慰问在省妇女儿童医院接受治疗的玉树灾区孩子

③ 来自新加坡慈援组织捐赠的药品、医疗器械等

④ 古巴医疗专家看望在西宁市第一人民医院救治的伤员并捐款

图片说明

5 月 28 日，巴基斯坦国向中国青海玉树灾区捐赠物资交接仪式

图片说明

① 4 月 24 日，在美国马里兰州洛克维尔县举行的募捐活动上，华盛顿中国民族乐团演奏《我的祖国》

② 国外友人向玉树灾区捐款

图片说明

① 日本友人到青海省红十字会捐款

② 4 月 23 日，孟加拉国首都达卡的华人华侨代表向玉树地震灾区同胞捐赠物资

③ 4 月 26 日，在津巴布韦首都哈拉雷市，一位华人在捐款箱旁准备捐款

①

②

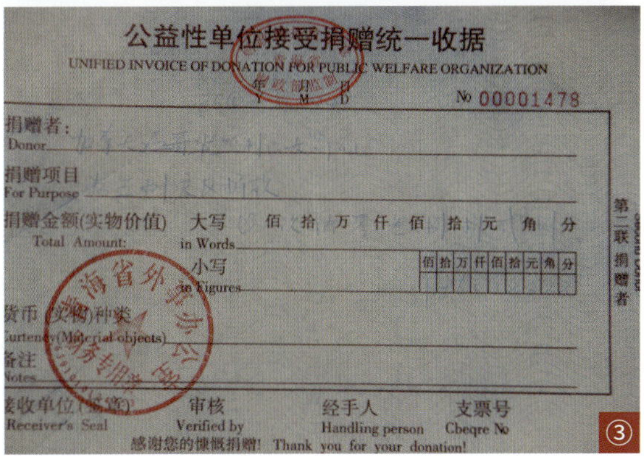

③

图片说明

①4月23日，中国驻法国大使孔泉（右三）在巴黎中国驻法大使馆内与参加捐款活动的旅法华人华侨合影

②5月14日，西班牙瑞安华侨华人经贸总会向青海玉树地震灾区捐赠仪式

③5月24日，加拿大亚历山大学院向玉树灾区捐赠善款

身在非洲，心系祖国，情牵玉树，爱献同胞
DISPLAY FILE
①

②

图片说明

① 4 月 24 日，赞比亚当地华人华侨在卢萨卡举行的捐款仪式上深情歌唱，祝福祖国和玉树地震灾区人民

② 西宁市外籍人员子女学校赈灾捐款

第八节　特殊捐助

玉树大地震发生后，全国各级党组织迅速行动起来，积极发动党员交纳“特殊党费”。广大共产党员心向灾区、情倾人民，向所在的党组织交纳“特殊党费”。有的党员收入尽管不高，但毫不犹豫，有的甚至交纳一个月工资；有的党员正在住院，在病床上拿出治病钱交纳党费。有曾参加过解放战争的离休干部、老党员捐出毕生积蓄，支援灾区恢复重建。在大灾大难面前，广大共产党员充分发挥先锋模范作用，充分显示出为党和国家、为受灾群众分忧解难的宽广胸怀，用实际行动向党和人民交出了一份用爱书写的合格答卷。此外，省内外许多地区、组织还自发举行多种多样的义演义卖活动，捐助灾区。

图片说明

4 月 15 日，中共西宁市委组织部支援玉树灾区“特殊党费”交纳仪式

①

②

图片说明

①4月18日，省人大机关全体党员干部开展交纳抗震救灾党费活动

②4月20日，省人口计生委全体党员向地震灾区交纳“特殊党费”

①

②

图片说明

①4月20日，中央电视台“情系玉树　大爱无疆”抗震救灾大型募捐活动特别节目，捐款近22亿元

②4月20日，中央电视台“情系玉树　大爱无疆”抗震救灾大型募捐活动特别节目现场

①

②

图片说明

①4月19日，青海电视台举办抗震救灾特别节目，募集资金9亿多元
②5月1日，香港艺人为玉树灾区募捐

第九节　接受（收）与监管

玉树大地震发生后，全省、全国乃至海外大量捐赠的资金、物资像潮水一般流向灾区，接受（收）、监管与分发工作艰巨而神圣。为确保抗震救灾捐赠资金合理配置、规范使用，民政部、发展改革委、监察部、财政部、审计署下发《青海玉树地震抗震救灾捐赠资金管理使用实施办法》。《国务院关于支持玉树地震灾后恢复重建政策措施的意见》明确要求，中央有关部门及红十字会、慈善总会等接收的捐赠资金，要直接拨付到青海省，连同青海省接收的捐赠资金，统一纳入灾后恢复重建规划，由青海省统筹安排用于恢复重建。此外，加上居民和企业少量自筹资金，共同组成以中央财政为主的灾后恢复重建资金。

4 月 18 日，青海省财政厅、监察厅联合下发紧急通知，对接收的捐赠资金管理提出了明确要求，承诺将严格监管抗震救灾资金物资。对财政和社会捐赠款物的筹集、分配、拨付、使用及效果进行全过程跟踪审计。重点查处滞拨滞留、随意分配、优亲厚友、损失浪费、弄虚作假、截留克扣、挤占挪用、贪污私分等问题。对贪污私分、虚报冒领、截留克扣、挤占挪用救灾款物等行为，迅速查办，从重处理；涉嫌犯罪的，要及时移送司法机关追究刑事责任。要求各有关部门从政治和全局的高度充分认识加强抗震救灾捐赠资金物资监管的重要性，以对党和人民高度负责的态度，切实做好监管工作，确保捐赠的资金、物资全部用于灾区，用于受灾群众，让捐赠机构和捐赠人放心满意。

①

②

图片说明

① 工作人员整理收到的捐款

② 青海省抗震救灾资金物资监督第二检查组对救灾物资进行专项检查

图片说明

① 玉树州检察院干警向受灾群众核实抗震救灾物资发放情况
② 工作人员查点救灾物资

图片说明

①工作人员清点为玉树灾区捐物的数量

②4月21日，结古镇甘达村村干部研究分发救灾物资

第五章 灾后重建与复产复课

中共中央、国务院高度重视玉树灾后重建。震后一个月，迅即出台了《关于做好玉树地震灾后恢复重建工作的指导意见》《关于支持玉树地震灾后恢复重建政策措施的意见》。震后不到两个月，制定颁布了《玉树地震灾后恢复重建总体规划》，确定了“用三年时间基本完成恢复重建主要任务，灾区基本生产生活条件和经济社会发展全面恢复并超过灾前水平”，并提出“要把玉树州府所在地结古镇建成布局合理、功能齐全、设施完善、特色突出、环境优美的高原生态型商贸旅游城市、三江源地区的中心城市、青海藏区城乡一体发展的先行地区”。

针对玉树特殊的自然、历史、经济、社会条件，中共中央、国务院确立了“由国家出资、由援建方建设、由地方提供服务保障”的特殊援建方式。6 月 20 日，国务院抗震救灾总指挥部在西宁召开玉树地震灾后恢复重建工作会议，宣布成立国务院玉树地震灾后恢复重建协调小组，负责协调重大问题，指导重建规划落实，对玉树灾后恢复重建和对口援建工作做出了及时、科学、全面、有力的部署。同时提出了玉树灾后重建工作“五步走”的目标任务和时间安排，强调首先要在玉树灾区基本建成一批标志性工程。

玉树灾后重建把握了四大原则：一是以人为本，政策措施支持的范围要覆盖全部受灾地区，重点支持城

众志成城　抗震救灾

乡居民住房、公共服务设施和基础设施等重建；二是科学规划，着眼长远发展，体现时代特征和民族特色，做到适度超前、高标准规划、分阶段实施；三是生态优先，各项重建工作以保护和改善生态环境为前提，充分考虑生态环境承载能力，统筹共用设施建设用地；四是城乡一体统筹，把灾后重建与推进城乡一体化建设有机结合起来，既抓重建又抓发展，实现跨越发展与科学发展的高度统一。

北京市、辽宁省和中国建筑、中国中铁、中国铁建、中国电建4家央企以及部队发扬“一方有难、八方支援”的精神，建立对口支援机制，合理配置力量，坚持安全第一、质量至上，坚持严格监管，确保重建工程质量与进度。灾区党委、政府积极行动，制定实施规划步骤，出台配套政策措施，组织动员广大干部群众，全力投入灾后恢复重建。

到2012年10月底，重建总体规划确定的项目基本建成，灾区城乡面貌发生了脱胎换骨的变化：39149户城乡居民入住新居，水、电、路设施配套，服务功能完善……灾区住房条件得到根本改善；94所中小学和幼儿园建成投用，63个医疗卫生重建项目投入运行，65个文化体育影视项目全部建成……基本公共服务设施硬件水平跃居全省前列；“四横十五纵”城市主次干道全部建成，给排水、燃气、垃圾填埋、污水处理等市政设施建成运营，电力保障能力比震前提高近2倍……基础设施保障能力显著增强；48个特色产业和服务业项目全面竣工；7个独立商业区和两河景观带商业区投入运营；一批节能暖棚、畜用暖棚和规模养殖小区相继建成；9个旅游商贸产业重建项目全面完成……特色产业优化升级；93个灾后重建生态环境建设项目全面完成；灾区18条泥石流沟和4段不稳定斜坡治理工程提前一年完工，城市绿化面积增加到432公顷……生态环境治理取得实效；4个国家级文物保护项目和56个省级文物保护修缮项目全部通过验收，93座受损宗教活动场所、僧舍和寺院公共用房全部得到重建或维修，生态移民和农牧民技能培训3万人次，2.9万人实现脱贫……和谐家园建设成就突出。

第一节　灾后重建

根据中共中央、国务院确定的重建目标和重建规划，重建工作领导小组注重以科学规划引领重建，注重发挥政策支撑作用，注重创新领导体制和工作机制，注重加强项目管理，推动廉洁重建，营造良好社会环境。在各重建单位的努力下，重建规划迅速落地，重建工作迅速展开。在灾后重建过程中，重建工作领导小组召开多次会议，强化工程质量、成本控制、安全施工和资金管理，建立一线工作机制，由州、县、乡干部与社区干部共同组成片区管委会，全面实行

“一线工作法”；成立州、县项目管理办公室和省、州、县三级联合审批中心，对重建项目实施全过程、全环节的严格管理和监控。建立由专业质量监督、工程监理、党政干部、群众代表和业主“五支队伍”组成的工程质量监管体系，严防重建过程发生重大质量安全事故。2010 年下半年，让灾区群众温暖过冬成了重建工作领导小组的头等大事，10 月会战，群众过冬安置有条不紊；2011 年 5 月，在交通设施、邮政通信设施、水利水电设施等基础设施得以基本恢复的情况下，城乡居民住房建设和学校建设全面展开，2011 年下半年又掀起了城乡居民住房“百日攻坚”战役。2012 年下半年，市政设施和居民区配套设施建设加速推进；2013 年是收官之年，生态恢复、文物修复、住房建设进度、工程质量管控、各类设施配套、医院、学校等民生项目提速……至 9 月底，主要重建项目基本完工，创造了质量与速度并重、当前与长远并重、建设与生态保护恢复并重的玉树重建奇迹。

一、重建决策

图片说明

6 月 20 日，经中共中央、国务院批准，国务院抗震救灾总指挥部在西宁召开玉树地震灾后恢复重建工作会议

①

②

③

④

图片说明

①6月22日，玉树地震灾后重建城乡规划委员会第一次会议召开

②6月23日，省委书记强卫（左一）、省长骆惠宁（左二）指导重建工作

③6月25日，省委常委、常务副省长徐福顺（左一）调研中国城市规划设计研究院规划技术组工作

④6月27日，玉树州委书记旦科（左三）与中国城市规划设计研究院专家在现场实地考察

二、重建规划

①

②

图片说明

①6月24日，省委书记强卫为受灾群众讲述玉树重建规划示意图

②6月25日，设计部门向施援地区领导介绍总体规划

图片说明

①② 6 月 27 日，灾区群众仔细观看灾后重建规划图

③ 6 月 29 日，玉树地震灾后重建城乡规划委员会宣讲重建规划

①

②

③

图片说明

① 省长骆惠宁（右二）与重建指挥部成员研究解决方案
② 玉树群众在听取中国城市规划设计研究院技术人员讲解重建方案
③ 玉树县结古镇扎西大同村群众在中国城市规划设计研究院的办公室观看效果图

①

②

图片说明

① 工程师在施工现场商讨重建方案
② 重建现场工程师在工作

三、重建启动

图片说明

① 2010 年 7 月 10 日，玉树地震灾后恢复重建万人誓师大会在结古镇举行
② 在玉树地震灾后恢复重建万人誓师大会上，与会领导为项目开工奠基
③ 2012 年 4 月 14 日，“决战 2012”玉树灾后重建誓师大会在玉树州八一职业技术学校建设工地举行
④ 玉树州委书记、省现场指挥部常务副指挥长旦科引领宣誓

图片说明

玉树灾后重建标志性工程开工典礼——格萨尔广场开工奠基

图片说明

①②③ 玉树灾后重建各大工程相继举行开工仪式

图片说明

西宁市援建暨杂多县灾后重建项目动员誓师大会现场

四、重建实施

①

②

③

④

图片说明

① 新建的玉树县垃圾填埋场
② 中国石油在玉树新建的油库
③ 玉树液化气加气站建设工程
④ 中国石油在玉树新建的加油站

图片说明

① 为玉树重建运送优质钢材
② 码放整齐的重建用钢材
③ 正在修建的钢构件仓库

①

②

公司为玉树灾后重建奉献力量

③

图片说明

① 为迎接重建物资的到来，物资管理部门组织力量平整土地，拓展堆放空间
② 露天堆放的重建物资
③ 重建物资运输车队

图片说明

① 重建用木材到达灾区物资堆放地。图为工作人员在清点验收

② 重建物资仓库短时间内建成，并已初具规模

图片说明

① 新建的结古镇胜利路商住楼全景
② 新建的扎西科琼龙住宅小区
③ 新建成的玉树州博物馆

①

②

④

图片说明

① 重建的行政中心
② 重建的格萨尔广场
③ 重建的康巴艺术中心
④ 囊谦县新城
⑤ 2012 年 8 月，重建中初现的玉树灾区新貌

图片说明

①②③ 结古镇沿扎西科河两岸的综合工程拔地而起，呈现出欣欣向荣的景象

①

②

图片说明

① 重建的玉树新街

② 结古镇琼龙路住宅小区 A 区首栋住宅楼主体结构封顶施工现场

①

②

图片说明

① 称多县新城

②③④ 住房、道路、医院、商店等焕然一新，绿化、通道、给排水、供热、供电等设施齐备，居民家用的卫生间、厨房等基础性装修都已完成。广场、草坪、停车位、健身设施一应俱全

图片说明

①② 称多县称文镇上庄村新貌

图片说明

①②③ 治多县 2034 户城乡住房全部开工，54 个公建项目全部落地

图片说明

① 玉树县吉乃滩新房舍
② 装饰一新的新居

图片说明

① 建设中的玉树城区主干道及建筑群
② 新大楼拔地而起
③ 结古镇宽敞的街道

①

用双手建设垃圾填埋场用爱心保护绿色三江源

②

③

图片说明

① 废墟上挺立的新楼房
② 在玉树灾后重建工作中，建设者高度重视环境生态保护工作
③ 正在建设中的玉树县污水处理厂

图片说明

① 玉树县召开结古地区城镇住房建设观摩会

② 玉树银行业各金融机构在结古镇开展玉树灾后重建金融、信贷政策宣传服务活动，重点解读国家的金融、信贷方针政策

图片说明

① 重建后的新建筑
② 重建的结古镇西杭商住组团、扎南组团全景
③ 重建的结古镇西杭街景

图片说明

① 重建项目 72 个，总投资 10.36 亿元。图为治多县城重建项目一角

② 统规自建片区夜景

图片说明

① 禅古村新貌
② 上巴塘示范区
③ 深灰片石装饰外墙的两层藏式新居成为玉树重建一道亮丽的风景线
④ 2010 年 11 月 10 日，交付入住的玉树县安冲乡吉拉村尕查社 67 户民居

图片说明

① 结古镇扎村托弋小区Ⅰ期居民住宅楼

② 灾后重建的普通居民房屋室内一角

①

②

③

图片说明

① 废墟上崛起的禅古新村
② 玉树县下西同院落式城镇居民住房
③ 多那村灾后重建农牧民住房项目开工典礼

①

②

③

④

图片说明

① 居民为新居挂灯笼增添喜气
② 省委书记强卫慰问迁居新家的藏族同胞
③ 灾后重建施工现场
④ 基础设施投入运营

图片说明

①② 农牧民群众积极参加灾后重建

③ 玉树县结古镇扎西大同村群众在确认自建区院落划分

图片说明

① 玉树县结古镇沿线道路

② 正在修建中的通天河大桥工地

图片说明

①②③结古镇巴塘路高架桥建设工地

图片说明

① 工人们在铺设新的公路
② 等待出发的新班车
③ 新修的公路

图片说明

玉树大地震救灾重建期间，担负着转移伤员、运送救灾物资等重要任务的玉树巴塘机场航班

①

②

③

图片说明

①给排水管材料
②使用大口径新材料通水管道一次到位
③青海省水利厅抢险队铺设玉树县城供水主管道

图片说明

① 饮水工程蓄水池施工

② 应急加固扎曲河河道堤防

①

②

③

图片说明

①②③ 灾区电网建设恢复并超过灾前水平

图片说明

① 新建的 330 千伏国家电网通向玉树

② 建设中的水电站

图片说明

①抢卸运来的大批邮件
②中国电信玉树分公司的线路调试

图片说明

① 新建成的玉树州红旗小学

② 玉树县第一民族中学新貌

①

②

③

图片说明

① 新建成的玉树县第四完全小学
② 玉树县第三民族中学新貌
③ 新建成的玉树县第二民族中学

图片说明

① 新建成的曲麻莱县第二民族完全小学、曲麻莱县影光三江源希望小学

② 国务院侨办捐建的玉树县第一幼儿园

①

②

图片说明

① 玉树县第二完全小学新貌
② 玉树县第三完全小学新貌

图片说明

① 中国建筑援建玉树州红旗小学竣工典礼
② 新建的教学楼
③ 废墟上建起新学校

图片说明

现代化新校园

图片说明

①②③④ 新校园里的学生们

图片说明

① 新建的玉树县中心敬老院及扎西大同敬老院
② 建设中的玉树县儿童福利院
③ 重建的玉树州藏医院

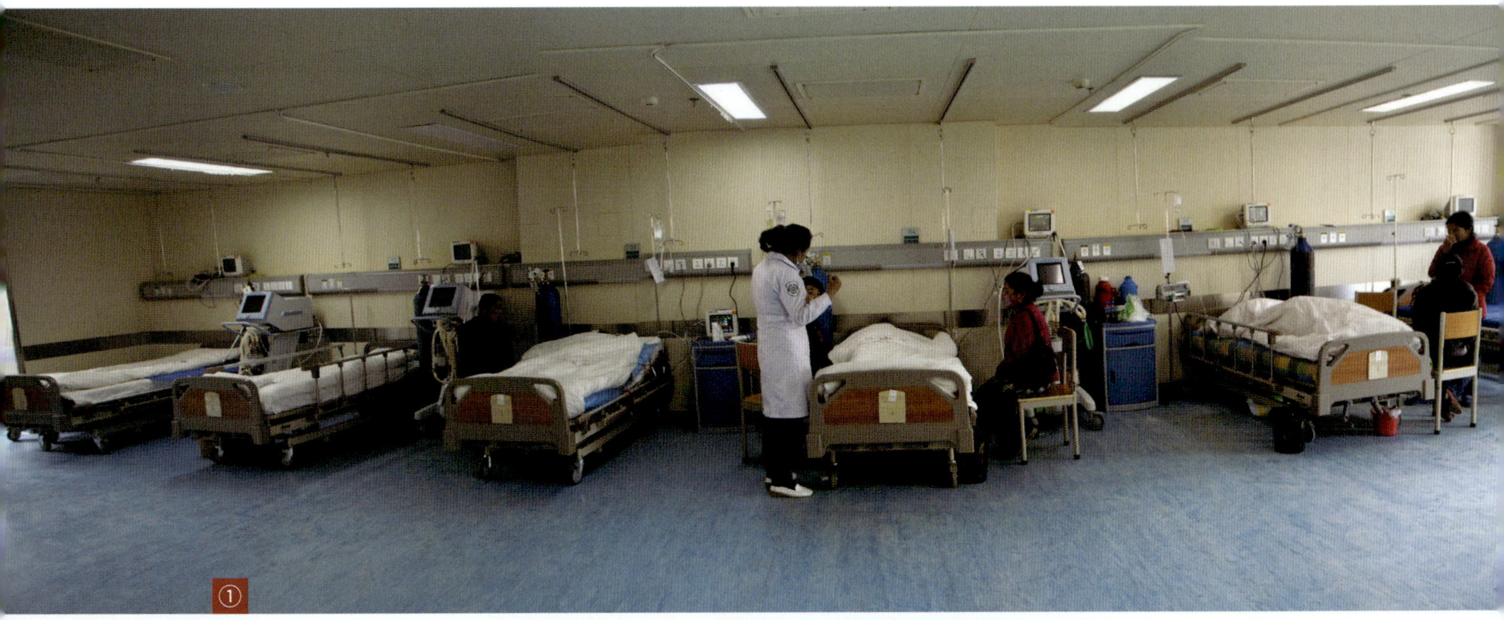
①

②

③

图片说明

①②③ 玉树州卫生系统灾后恢复重建项目共有 66 个，总投资 9.5 亿元，总建筑面积 43.47 万平方米。图为新建的部分医院及设施

图片说明

①②③④⑤ 新竣工的玉树八一医院大型医疗设备配备齐全

图片说明

玉树新寨嘉那嘛呢石堆是世界上最大的嘛呢石堆

图片说明

新寨嘉那嘛呢石经城

图片说明

重新修好石经墙为灾区人民祈福

图片说明

修复后的文成公主庙

图片说明

① 重建恢复的麻达寺
② 维修中的玉树《大藏经》珍藏馆
③ 修复的新当卡寺全景

五、生态修复

①

②

③

图片说明

① 2013 年 4 月 14 日，省长郝鹏与社会各界人士在玉树县植树造林
② 初到夏窝子的牧民十分注重生态的保护
③ 新落成的藏家小区坐落在环境优美的景区

①

②

③

④

图片说明

①②③④唐蕃古道生态园区

图片说明

① 结古寺的僧人们积极投入乡村绿化活动中
② 玉树县代格村村民为新种植的小树浇水
③ 重建后的新玉树周边环境保护被纳入国家三江源生态保护项目

图片说明

重建房屋前后植被逐步恢复

图片说明

玉树南大门绿地花园

六、重建收官

图片说明

①② 灾后重建，率先启动实施学校恢复重建，圆满完成了 16 所新学校的重建任务

图片说明

①② 玉树新景

图片说明

① 玉树县隆宝镇新貌
② 玉树州杂多县新城
③ 玉树州行政办公中心
④ 重建的结古寺新颜

①

②

图片说明

① 重建后的居民住宅
② 灾后重建的玉树州藏医院

第二节　恢复生产

恢复生产是灾区发展经济、扩大就业、维护稳定的根本出路。在中共中央、国务院的坚强领导和全国各地的支持下，灾区各级党委和政府、各企事业单位积极创造条件，全力组织尽快恢复生产。

地震发生前，玉树州大力实施“菜篮子”工程，并在玉树等县开展了蔬菜基地建设试点，蔬菜自给率已达70%以上。地震发生后，极重灾区结古镇及周边地区近2000栋温室大棚损毁倒塌，玉树县农牧局筹备的价值30万元的温室棚膜被埋在废墟中，给当地蔬菜生产造成很大影响，震区蔬菜供应一度萧条。为尽快恢复灾区蔬菜生产，重建损毁的日光温室，玉树州开始着手重建温室蔬菜基地，同时对大棚蔬菜基地按每人1070元的标准发放补贴。青海省农牧厅从大通、湟中、乐都等县抽调10名农业科技骨干紧急赶赴灾区，对日光温室重建进行全程指导。5月11—13日，农业部工作组代表农业部党组前往玉树灾区，指导灾后农牧业恢复生产。同时，灾区农牧部门组织力量以乡、村和户为单位，对畜牧养殖、农业田地、受灾温室大棚等受损情况进行调查取证和登记造册，组织恢复重建，开展农牧业知识培训、就业培训、劳动竞赛等活动，为农牧业生产全面恢复做准备。商业贸易、手工艺、虫草经营、藏獒养殖等行业也克服种种困难恢复重建，很快进入了“止滑回升、尽快增长”的运行轨道。在旅游、金融、文化产业恢复重建中，通过大力调整产业布局，充分利用历史文化和自然风光的优势，快速恢复相关产业，增强灾区发展后劲，促进灾区劳动就业，维护和促进灾区社会稳定。

一、农业、林业

①

②

③

图片说明

① 结古镇的菜农在温室大棚里检查油菜的长势
② 省长骆惠宁与玉树少先队员一起种下苗木
③ 植树造林现场

二、畜牧养殖业

图片说明

① 羊舍

② 牧人家园牛毛帐房

三、旅游业

图片说明

玉树州游客服务中心

图片说明

① 新玉树跳起来

②③ 赛马场上康巴汉子再现英姿

④ 灾后草原迎来牧民的节日

图片说明

① 玉树草原上跳起了欢乐的锅庄
② 青稞美酒献亲人
③ 民族特色鲜明的酒店，开始接待来自四面八方的游客

四、商业贸易

图片说明

① 灾区恢复正常生活秩序

② 结古镇集贸市场恢复

③ 4 月 19 日，结古镇上已有菜农陆续开始售菜

图片说明

①②③④ 市场繁荣，商品琳琅满目，让牧民生活衣食无忧，让草原新镇的景致愈加丰富多彩

五、和谐家园生活场景

图片说明

① 喜庆的日子里，姑娘们把最漂亮的首饰戴起来
② 灾后藏族人民的生活

①

②

图片说明

①“我们迎接幸福”

②藏族青年载歌载舞欢庆灾后第一个元旦

①

②

③

图片说明

① 玉树州州长王玉虎向格萨尔传承艺人颁发证书
② 灾后藏族群众的生活越来越好了
③ 藏家姑娘抱着标志分到新居的金钥匙

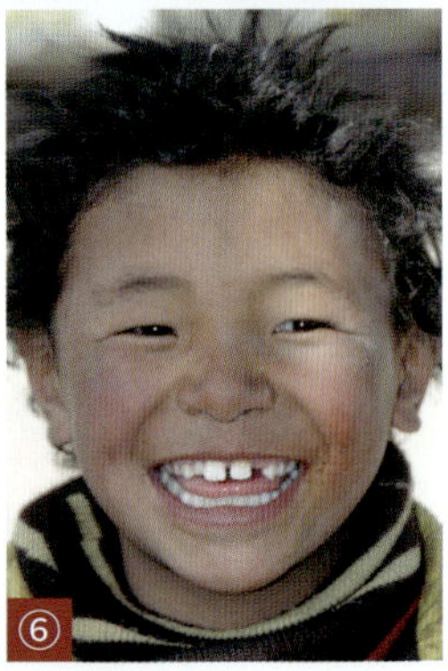

图片说明

①②③④⑤⑥⑦⑧⑨⑩ 笑脸

图片说明

①②③新家园里的居民过上了幸福生活
④结古镇禅古新村76岁的著名村医巴桑扎西一家

①

②

图片说明

① 安享晚年的老人

② 幸福的一家人

六、培训就业劳动竞赛

图片说明

① 2011 年，玉树灾后重建劳动竞赛启动仪式各参赛团队
② 劳动竞赛启动仪式现场

图片说明

① 2010 年 7 月 9 日，由青海省人力资源和社会保障厅与玉树州人民政府、海西州人民政府共同主办的玉树地震灾区恢复重建就业援助招聘活动在结古镇召开。图为启动仪式现场

② 青海省妇联玉树灾区女性素质工程西宁培训班开班

③ 2010 年 5 月 4 日，青海省人力资源和社会保障厅与玉树州人民政府举行玉树灾后重建培训就业工作启动仪式

④ 中铁二局四公司玉树灾后重建工程项目部为提高农民工和职工素质，因地制宜办起了职工夜校

第三节　学校复课

灾后重建，始终坚持“民生优先、公共服务和基础设施优先”的原则，率先启动实施学校恢复重建。各援建地区和单位肩负重托，牢记宗旨，在自然环境、施工条件十分艰苦的情况下，克服各种困难、强化精细管理、抢抓施工进度、保证工程质量，按照“三个确保”和“把校园建成最牢固、最安全、最放心设施”的要求，圆满完成了16所学校的重建任务。震后37天内灾区所有学校全部复课，并陆续向省内外转移中学生8605名。不仅为灾区学生及早搬进新校园、全面恢复教育教学秩序创造了良好条件，更为孩子们构筑了一个美好的未来，也极大鼓舞了灾区人民加快建设美好新家园的信心和决心。

地震发生后第四天，玉树州孤儿学校60多名学生和10多名教师齐唱国歌，在灾区率先复课。18日，玉树县第一民族中学复课。21日下午，玉树灾区高考帐篷学校正式开课。为支持玉树灾区学校复课，教育部紧急筹集首批教学物资于4月22日移交给青海省，并于当日发往灾区。除做好灾后复课外，针对中小学生的实际情况，教育部紧急编辑印制汉语、藏语两种文字版的心理健康教育读本，紧急运往灾区，鼓励广大师生在逆境中学会坚强、在关爱中学会感恩，树立重建美好家园的坚定信心，成为社会主义事业的建设者和可靠接班人。

一、复课

①

②

③

图片说明

① 孩子们复课第一天在帐篷学校上课
② 震后第四天灾区学生复课
③ 武警玉树支队建立的帐篷临时学校，由随军家属暂时担任教师，为灾区学龄儿童授课

①

②

图片说明

① 学生聚精会神地在教室里上课

② 玉树州民族中学高三年级学生在新搭建的活动板房教室中上课

①

②

图片说明

① 解放军总后青藏兵站部援建的玉树县隆宝镇中心寄宿帐篷小学正式开课

② 4 月 26 日，姐妹俩到寄宿帐篷学校上学

图片说明

①②③④⑤ 玉树县第一民族中学在帐篷中复课，老师认真讲课，学生认真听课

二、课外活动

①

②

③

图片说明

① 学生们在图书室里认真看书
② 玉树县第一民族中学开展趣味游戏活动
③ 复课的小学生课余时间参加劳动，重建家园

图片说明

① 曲麻莱县巴干乡中心寄宿制小学学生们在共青团旗帜下庄严宣誓
② 同学们在操场上进行足球比赛

新校园 会有的 新家园 会有的

图片说明

① 放飞梦想
② 孩子们展示绘画和小制作作品
③ 曲麻莱县巴干乡中心寄宿制小学举办运动会

三、异地就读

图片说明

① 转移安置到海西蒙古族藏族自治州天峻县第二民族中学学生的午餐

② 安置到山西省长治市长安慈善学校上学的玉树灾区学生在做课间操

图片说明

① 玉树学生在北京大学实验附中教室内上课

② 玉树学生在北京大学实验附中的宿舍里

图片说明

① 玉树学生在河北省石家庄市玉树民族中学的教室内上课
② 玉树转移安置学生在山东泰山举行成年仪式

图片说明

① 玉树学生在辽宁省本溪市实验中学上课。图为学生在参加测试

② 玉树民族中学转移安置学生结束寒假后返回四川都江堰八一聚源高级中学

①

②

图片说明

① 玉树民族中学的转移安置学生整装出发

② 接收玉树学生的学校举行欢迎新同学入读仪式

图片说明

① 玉树学生被安全转移到省会西宁等地上学

② 玉树灾区学生在西宁湟川中学学习

第四节　援　建

玉树大地震发生后，北京市、辽宁省等兄弟省市以及中国建筑工程总公司、中国铁建股份有限公司、中国中铁股份有限公司、中国电力建设集团有限公司、中国城市规划设计研究院等援建单位和部门，积极响应国家号召，全力以赴投入玉树灾后重建工作。在不到两年的有效工期内，完成了迄今为止人类在高寒高海拔地区开展的最大规模的重建，完成了中共中央、国务院提出的“居民拥有新家园、生态迈上新台阶、设施得到新改善、城乡呈现新面貌、社会和谐新局面”重建目标。用赤胆忠诚、钢铁意志和血肉之躯，谱写了感天动地的英雄凯歌。他们的援建工作得到了中共中央、国务院的充分肯定，得到了青海省委、省政府的高度评价，得到了玉树灾区广大干部群众的交口称赞，成为对口援建工作的标杆和旗帜。

在玉树抗震救灾斗争中，青海全省上下更是形成和展示了“大爱同心、坚韧不拔、挑战极限、感恩奋进”的玉树抗震救灾精神，省内各地市区、各厅局伸出援建之手，顺利完成了各项灾后恢复重建任务。

①

②

图片说明

① 2011 年 7 月，举行北京援建玉树新校园、新家园首批项目交付仪式

② 2012 年 8 月，北京建工集团发扬铁军精神按时建成的隆宝镇中心寄宿小学

图片说明

① 北京城建九公司的工人们精心施工

② 北京住总集团援建哈秀农牧民房竣工仪式

图片说明

① 辽宁援建单位负责人向澳门红十字会考察团介绍项目进展情况
② 2011 年 11 月 8 日，辽宁省援建玉树巴塘乡项目交接暨捐赠仪式

图片说明

① 中国建筑工程总公司援建玉树重建工程工地

② 2010 年 10 月 1 日，中国建筑工程总公司援建的玉树红旗小学工程 A 区封顶仪式现场

③ 2011 年 5 月 12 日，中国建筑工程总公司援建折龙达、民主北路城镇组团工程开工

图片说明

① 2010 年 11 月 10 日，由中国铁建股份有限公司承建的玉树州民族中学教学楼主体结构封顶

② 中国中铁二局集团公司纪委、玉树州纪委、玉树州人民检察院举行玉树灾后重建“三优一安”企地共建启动仪式

③ 中国中铁股份有限公司举行青海玉树 2011 年灾后重建“当好主力军、岗位做贡献、建设新玉树”劳动竞赛启动仪式

图片说明

① 中共玉树州委组织部、中国中铁二局举行“玉树重建党旗红　创先争优当先锋”党建主题实践活动启动仪式

② 2010 年 7 月 10 日，中国铁建股份有限公司举行玉树地震灾后重建项目开工仪式

图片说明

① 中国中铁股份有限公司的工人在重点项目施工现场屋面绑扎钢筋

② 中国中铁股份有限公司玉树灾后重建现场指挥部施工现场技术交底

①

②

③

图片说明

① 2012 年 6 月 19 日，中国电建集团当代滨水休闲区重点项目开工典礼
② 中国电建集团承建的玉树县第三民族中学
③ 中国电建集团承建的玉树县第二民族中学

图片说明

① 由中国电建集团承建的小苏莽乡竣工的新房

② 由中国电建集团承建的玉树县公检法办公楼

③ 中国水电集团玉树灾后重建现场总指挥部召开工作会议

①

②

③

图片说明

① 2013 年 4 月 16 日，中国城市规划设计研究院第一批抗震救灾专业队伍到达玉树灾区
② 中国城市规划设计研究院专家秉烛工作
③ 中国城市规划设计研究院专家向玉树州委书记旦科介绍规划设计的情况

图片说明

① 中国城市规划设计研究院专家在听取群众重建家园的意见
② 中国城市规划设计研究院专家提出了保护古建筑的方案

①

②

③

图片说明

① 2012年7月15日，西宁市领导赴杂多检查援建工作
② 西宁市援建杂多县地震灾后重建项目现场指挥部召开施工现场监理例会
③ 灾后重建的杂多县第一幼儿园外景

图片说明

①西宁市援建杂多县新城区吉乃滩施工一角

②2013年4月18日，召开杂多县灾后重建动员大会

③灾后重建的杂多县县城内街

①

②

③

图片说明

① 新建成的民族中学

② 2013 年 5 月 16 日，西宁市援建的杂多县行政中心施工现场

③ 西宁市援建的杂多县体育馆施工现场

图片说明

① 杂多县建设中的城镇供水工程
② 西宁市援建的杂多县第二完全小学施工现场
③ 西宁市援建的杂多县农牧民住房

图片说明

① 2010 年 9 月 16 日，举行海东地区援建称多县称文镇城乡农牧民住房竣工入住仪式

② 海东地区援建的称多县居民住房

图片说明

① 海东地区援建的新落成的称多县民族中学

② 海东地区援建的称多县行政中心

①

②

③

图片说明

① 2013 年，海西州援建的治多县行政中心工地

② 2011 年 8 月 4 日，举行海西州援建的治多县完全小学暨加吉博洛镇城乡住房灾后恢复重建项目开工典礼

③ 建设中的治多县主要道路

图片说明

① 由海西州对口援建的藏家定居小区竣工投入使用
② 建设中的治多县民族中学

图片说明

①②2011 年 9 月 6 日，玉树县上拉秀乡多拉村 161 户农牧民入住海南州援建的新房

第五节　典型项目成果

玉树灾区海拔高，空气稀薄，天气寒冷，有效施工期短，建材全部依靠外运，灾后重建困难重重。国务院及时出台《玉树地震灾后恢复重建总体规划》，制定《做好玉树地震灾后重建工作的指导意见》和《关于支持玉树地震灾后恢复重建政策措施的意见》，明确了玉树灾后重建的指导思想、目标任务和政策措施。青海省委、省政府组织力量编制 10 个方面专项规划、6 个县城总体规划、19 个乡镇建设规划和 126 个村庄建设规划，确定了 6 大类、1579 个重建项目。围绕重建项目，邀请全国知名设计师、一流设计团队开展“千人设计大会战”，做到高起点规划、高水平设计，充分体现民族特色、时代特征和地域特点。

重建的玉树州博物馆、康巴艺术中心、玉树州人民医院、禅古新村、玉树八一医院、玉树州民族中学、玉树州八一孤儿学校、囊谦县毛庄乡中心寄宿学校等重点项目，设计新颖、造型独特、气势磅礴，具有浓郁民族特色，成为玉树亮丽的风景。

图片说明

新建的玉树八一医院大楼

图片说明

① 已竣工的玉树州红旗小学
② 具有浓郁民族风格的玉树州博物馆

①

②

③

图片说明

① 新落成的玉树州人民医院
② 2013 年，灾后重建收官之年的玉树结古镇
③ 竣工使用的玉树州民族中学

①

②

图片说明

① 新建成的玉树州八一职业技术学校

② 具有民族特色的康巴艺术中心

图片说明

①②③ 玉树汽车站

图片说明

① 新建成的玉树州八一孤儿学校
② 焕然一新的民居

①

②

图片说明

①② 可容纳 3000 名学生的玉树县第三民族中学

第六节　感　恩

三年的灾后重建，玉树人民亲眼见证了一个崭新的玉树新城的建成，人们搬进一幢幢、一栋栋色彩明亮、整洁的新居中，重拾生活，重整心情，重新开始延续生命的奇迹。各族群众心怀感恩，他们将“感恩”二字刻在墙上、写在牌匾上，更将这两个字深深地刻在心里。

灾区人民时刻铭记中共中央、国务院的无限关怀，时刻铭记全国人民的无私援助，时刻铭记人民子弟兵的无私奉献。广大人民群众以多种形式举办感恩活动：玉树藏族自治州举行“铭记关怀、感恩大爱”大型签名活动，大幅标语写着“感谢党中央　感谢国务院　感谢全国各族人民”；西杭建委会打出“党为父母　忠孝齐行”“首长辛苦了　建设大军辛苦了！”的横幅；玉树州建设局开展增强党性感恩回报集中教育活动，中国中铁玉树灾后重建现场指挥部与玉树县第二完全小学师生在工地现场举行“感恩与天地同在”庆“五一”文艺慰问演出；藏族群众尼玛文次赠送给中铁建工集团锦旗：“中铁建工胜似亲人，情系学子恩重如山”；灾区人民手持横幅走上街头向全国各族人民感恩致谢；藏族儿童用稚嫩的笔迹写出：“感谢大家对玉树的帮助，您们辛苦了！”还有群众送锦旗给香港慜生讲堂，深切感谢他们的捐赠……这样的感恩活动在玉树灾区随处可见，这是玉树全体人民的心声。他们说：“我们不会随着时间的流逝而忘却全国人民的大爱，相信有党和政府的关心，有全国各族人民的支持，玉树草原的格桑花一定会盛开得更加灿烂，玉树大地的锅庄一定会舞动得更加奔放，美丽玉树的明天一定会更加灿烂。”

图片说明

①玉树街头悬挂的“感谢党中央　感谢国务院　感谢全国各族人民”标语

②感谢为灾区做出重大贡献的特警

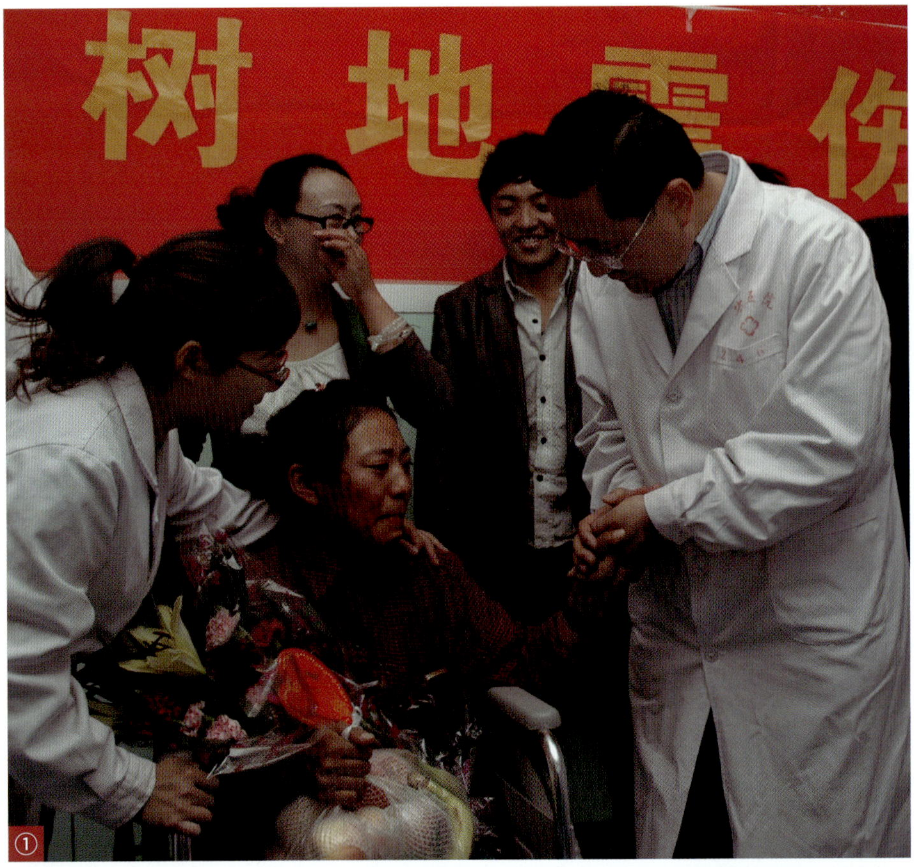
①

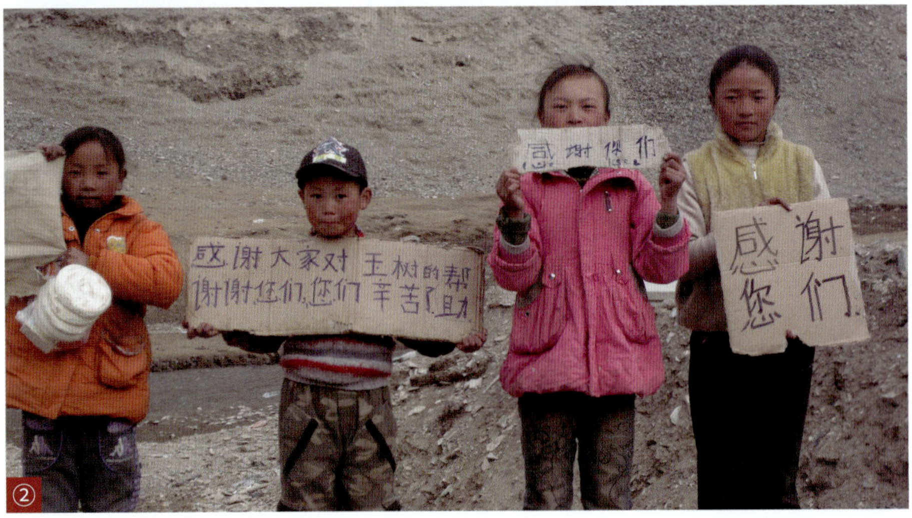
感谢大家对玉树的帮
感谢
您们
②

图片说明

① 出院伤员感动得落下热泪
② 孩子们表达的心声

香港慈生讲堂
赠：香港慈生讲堂　惠存
情系灾区
恩泽铭记
中共青海省委统战部
青海省光彩事业促进会
二〇一〇年六月廿二日
①

救灾
②

图片说明

① 香港慈生讲堂向玉树捐赠救灾物资，省委统战部、省光彩事业促进会回赠锦旗致谢
② 送别援建灾区的最可爱的人

DANGER
①

感谢祖国人民对我们
的关怀!
②

图片说明

①“谢谢你们为我们所做的一切！”

②“感谢祖国人民对我们的关怀！”

感谢温爷爷
来看望我们
感谢祖国人民
感谢党和政府！

感谢党中央、解放军和武警官兵
灾区藏族人民的救星 我们永远铭
记您们的恩情！

图片说明

①学生们送别援建队伍，手持写有“感谢祖国人民　感谢党和政府”的纸牌

②“感谢党中央、解放军和武警官兵——灾区藏族人民的救星，我们永远铭记您们的恩情！”

党为父母　忠孝齐行
西杭建委会　宣

①

结古重建看西杭
西杭建委会　宣
首长辛苦了　援建大军辛苦了！

②

图片说明

① 西杭建委会打出“党为父母　忠孝齐行”的横幅

②“首长辛苦了　援建大军辛苦了！”西杭建委会组织慰问中国中铁援建大军

感谢
全国
人
民
①

感恩与天地同在
玉树县第二完全小学　中国中铁玉树指挥部 庆“五一”文艺表演
中国中铁
②

③

图片说明

① 玉树灾区群众将哈达献给全国人民

② 玉树县第二完全小学、中国中铁玉树指挥部庆“五一”文艺表演

③ 一名小学生献上哈达，“感谢中铁的工人叔叔为我们建设了新家园！”

赠：海东地委、行署及援建办
鼎力援助新建家园　同甘共苦情谊永存

玉树州建设局开展增强党性感恩回报集中教育活动动员大会
大干三

热烈欢迎西安红

图片说明

① 2011 年 9 月 25 日，海东援建称多县称文镇灾后重建任务完美收官。图为在庆典大会上称多县委、县政府向海东地委、行署及援建办赠送锦旗

② 玉树州建设局开展增强党性感恩回报集中教育活动动员大会

③ 曾在西安红十字会医院接受治疗的患者向回访的救治医生敬献哈达

重建玉树攻艰破难绘就高原明珠
红色军团情真意挚彰显智者风范

图片说明

① 在海拔 4500 米的下拉秀镇，僧侣感谢中国电信抗震救灾奉献爱心
② 玉树县民主南灾后重建委员会向中规院赠送锦旗

感恩与天地同在
一一年五月一日
①

传递援建爱心
情洒玉树草原
②

图片说明

① 2011 年 5 月 1 日，中国中铁玉树灾后重建现场指挥部与玉树县第二完全小学师生在工地现场举行“感恩与天地同在”庆“五一”文艺慰问演出

② 2011 年 8 月 13 日，扎北建委会及样板房房东给中国中铁建工集团西南公司赠送锦旗

吃苦 缺氧不缺精神
中国中铁
高原再创奇迹 玉树再
赠：中国中铁
真诚奉献播撒党的恩情
用心援建谱写中铁大爱
赠：中国中铁建工
重建不分昼夜
豪情书写华彩

玉树
人民不会忘记辛劳的援建兄弟

图片说明

① 玉树县下拉秀镇党委、镇政府给中国中铁现场指挥部赠送锦旗

② 玉树群众为中国中铁二局赠送蔬菜

图片说明

① 下拉秀镇群众给中国中铁二局玉树指挥部赠送酸奶

② 下拉秀镇塔玛村、当卡村全体村民向中国中铁二局玉树指挥部赠送锦旗

第六章
新闻宣传

地震发生后，中共中央宣传部、中共中央对外宣传办公室（国务院新闻办公室）立即启动应急机制，迅速组织新闻报道、信息发布，要求媒体牢牢把握正确导向，营造中华民族“万众一心、众志成城、百折不挠”的舆论氛围。为及时、准确地向社会公众发布信息，把抗震救灾中中国政府的声音传向全世界，国务院新闻办公室就玉树地震灾害和抗震救灾情况举行新闻发布会，公布抗震救灾最新进展情况，回应中外媒体关注的问题。玉树抗震救灾指挥部多次召开新闻发布会，及时发布抗震救灾消息。

国内媒体及时、全面、客观、公开地报道地震灾区真实情况，展现举国上下“一方有难、八方支援”的抗震救灾义举，反映世界人民关注地震灾情、参与救援行动的人道主义活动和精神，在国内外产生巨大影响。《人民日报》发表社论，新华社迅速播发文字和图片报道，中央人民广播电台播发地震快讯，中央电视台播发消息并开通直播节目，中央及各省（自治区、直辖市）许多媒体纷纷派出记者进入灾区一线采访报道。各级各类媒体相互协同，报刊、广播、电视、网络媒体立体联动，文字、图片、视频、音频等整合推出，消息、通信、言论、评论各展所长，现场采访、连线访谈、专题节目、全频道直播综合运用，前线记者与后方记者联合作战，形成多角度、全方位、全覆盖的报道态势。

各有关单位、部门利用横幅、展板、传单、现场咨询等形式在地震现场、街头、居民住所等开展法律法规、健康教育、卫生医疗等各种宣传活动。

众志成城　抗震救灾

第一节　政府新闻发布

地震发生后，国务院新闻办公室、玉树抗震救灾总指挥部等多次举行地震灾害及抗震救灾情况新闻发布会，全方位、多角度地向社会公布地震灾区抗震救灾、群众生活及灾后恢复重建等情况。在向社会公众通报灾情和抗震救灾具体情况的同时，还以组织媒体记者采访等多种形式，向社会公众传递权威信息。民政部、地震局等有关部门以及灾区各级政府也及时向社会公布地震灾情、群众生活及灾后恢复重建等情况，信息发布和媒体报道公开、透明，获得中外媒体和广大群众的一致好评。

图片说明

4月17日，青海玉树抗震救灾指挥部新闻发布会现场

图片说明

4月19日，青海玉树抗震救灾指挥部新闻发布会现场

①

②

图片说明

① 4 月 17 日，青海玉树抗震救灾指挥部新闻发布会现场的记者们

② 玉树“4·14”地震三周年纪念暨绿色玉树建设活动新闻发布会现场

第二节　媒体采访报道

地震发生的第一时间，省委宣传部召开中央驻青海和省垣新闻媒体负责人紧急会议，要求所有新闻单位领导干部必须坚守阵地，班子成员 24 小时带班；立即组织记者，兵分多路赶赴灾区，采访抗震救灾的最新进展；电视台和各新闻网站随时直播最新消息；向社会公布新闻中心的电话，收集社会各界的信息……

第一时间，青海省突发公共事件新闻报道应急机制启动，抗震救灾宣传协调领导小组成立，全面指导抗震救灾的宣传工作。省委宣传部、省委外宣办（省政府新闻办公室）联合组成青海省抗震救灾应急新闻中心，成立玉树、西宁两个工作小组，并在地震发生的 4 个小时后召开了首次新闻发布会，第一次向省内外媒体权威发布了地震灾情、省委省政府的安排部署和救援工作的最新进展。

同时，省委宣传部成立媒体服务中心，为 600 余名中外记者提供 24 小时服务。派出了以部领导带队的前方工作组赶赴灾区，协调、指导媒体记者开展采访活动。《人民日报》、新华社、中央人民广播电台、中央电视台等中央媒体，坚持及时、准确、全面、客观的原则，认真做好青海玉树抗震救灾宣传报道工作，大力弘扬伟大的抗震救灾精神，着力营造万众一心、众志成城、迎难而上、敢于胜利的良好氛围，为做好抗震救灾工作提供强大的精神动力和舆论支持。中央媒体和地方媒体的新闻记者把笔、镜头和话筒对准抗震救灾一线抢险救援人员和广大干部群众，及时、客观、真实地反映了灾区抗震救灾的进展情况。

图片说明

① 省长骆惠宁接受新闻媒体采访

② 国家统计局局长马建堂在玉树灾区接受媒体记者采访

图片说明

① 中央媒体记者在中国中铁援建工地采访
② 记者在废墟现场采写新闻
③ 海西采访团听取玉树州援建工作情况介绍

图片说明

① 玉树重建工作者接受采访

②③ 记者在采访

④ 2010 年 6 月 1 日，青海人民广播电台、共青团青海省委、青海省青联、西宁市文化广播电视局等单位举办“手拉手，我们共同成长”大型公益广播现场直播活动，给玉树灾区儿童带去节日的问候

①

②

图片说明

①4月14日，青海电视台抗震救灾新闻直播指挥部研究抗震救灾新闻直播工作

②4月21日，青海人民广播电台藏语频道主持人在机房直播抗震救灾消息

图片说明

①4月19日，玉树当地藏语播音员用康巴语直播抗震救灾最新动态

②4月22日，西宁电视台记者在玉树县第二民族中学采访

③4月25日，青海电视台新闻中心记者在震区采访

④4月25日，青海电视台藏语卫视记者在玉树灾区采访

①

②

③

图片说明

① 地震发生后青海电视台将抢险救灾的信息传送全省各地
② 记者采访西宁市农牧和扶贫开发局负责人
③ 在西宁市地震局图片展现场参观的同学接受采访

图片说明

① 西宁人民广播电台报道小组成员深夜在帐篷里写稿

② 玉树州疾控中心工作人员接受青海电视台记者采访

③ 公安干警接受采访，向媒体介绍灾情

图片说明

①4月15日，解放军记者在现场采访
②现场采访灾区儿童

图片说明

① 藏族阿爸接受媒体记者采访
② 帐篷编辑部
③ 媒体记者在现场发布新闻稿件

图片说明

① 记者工作现场

②③ 采访现场

第三节　宣传教育工作

在大灾面前，宣传教育战线认真贯彻中央和省委的决策部署，快速反应、紧急动员，在第一时间、第一节点，以最快的行动、最强的力量、最有力的措施卓有成效地开展了抗震救灾的宣传教育工作，为夺取抗震救灾胜利营造了良好的社会氛围，提供了强大的精神力量。

各有关单位（部门）利用横幅、展板、传单、现场咨询等，在地震现场、街头、居民住所等开展各种宣传活动。有关部门大力配合组织开展法律宣传，健康教育人员为救援部队开展高原病防治知识宣传，防疫队向灾区各族群众发放《灾区卫生防疫宣传册》，开展防疫知识宣传。

除了广播、电视、报刊、网站等媒体正常宣传报道玉树地震的各种消息外，有关部门还及时出版发行诗集《废墟上的花朵》、报告文学集《玉树大营救》、图书《玉树不倒　青海常青》、摄影画册《玉树不倒》、影像志《玉树“4・14”抗震救灾影像志》、通讯特写集《玉树挺起你坚韧的脊梁》等，出版速度创青海出版史上的奇迹。

图片说明

2010 年 4 月 21 日，玉树大地震全国哀悼日，玉树灾区 2 名守家的学生在收听中央人民广播电台中国之声实况转播

图片说明

① 灾区群众收看中央电视台直播的玉树赈灾节目

② 4 月 26 日，玉树县巴塘乡受灾群众在帐篷里通过卫星电视收看藏语节目

③ 灾区每天都能收到及时投送的《青海日报》

①

②

③

④

⑤

图片说明

① 健康教育人员为救援部队开展高原病防治知识宣传
② 青海省“健康教育万里行”活动走进灾区校园普及健康知识
③ 电力部门工作人员进行灾区安全用电宣传
④ 玉树地震灾区受灾群众学习防疫队发放的《灾区卫生防疫宣传册》
⑤ 医疗防疫队员在受灾群众安置点开展卫生知识宣传工作

图片说明

① 2011 年 7 月 20 日，青海省计划生育协会在玉树灾区转送中国人口福利基金会捐赠的实物并开展宣传服务工作

② 青海省司法厅赴玉树灾区开展法律宣传工作

①

②

图片说明

① 消防官兵向群众赠发《青海消防》杂志

② 2011年4月18日，由中共青海省委宣传部、青海省社会科学院、青海省社会科学界联合会、青海省行政学院共同主办的“国家力量与玉树抗震救灾理论研讨会”在青海会议中心举行

图片说明

2013 年 8 月 24 日，中央电视台“心连心”艺术团赴玉树举办“情暖玉树 吉祥如意”慰问演出

第七章
悼念·表彰

4月21日，玉树大地震哀悼日，全民同悲，举国哀悼，北京天安门广场和驻外使领馆下半旗志哀，全国停止公共娱乐活动，默哀三分钟，汽车、火车、轮船鸣笛，防空警报鸣响哀悼遇难者，为受灾群众祈福。党和国家领导人胡锦涛、吴邦国、温家宝、贾庆林、李长春、习近平、李克强、贺国强等在北京，同全国各族人民一起，向地震遇难同胞默哀。各省（自治区、直辖市）负责人，中央和国家机关各部委负责人，解放军各总部、各大单位和武警部队负责人等也在各地向玉树地震遇难同胞致哀，表达深深的哀思。

中共中央、国务院组织各种形式的遇难者祭奠活动。地震灾区群众也以不同方式祭奠遇难者、寄托哀思。全国各地纷纷组织各种展览，展示地震灾情及抗震救灾英模事迹；组织发行各种出版物，宣传抗震救灾精神。

玉树大地震抗震救灾展现出中国人民坚韧不拔、不屈不挠、勇于压倒一切困难的民族气概，涌现出许多英雄模范，谱写出感天动地的凯歌。中共中央、国务院、中央军委联合作出表彰决定，并召开全国抗震救灾总结表彰大会，中共中央组织部、中共中央宣传部、解放军总政治部和青海省委，组织抗震救灾英模事迹报告团，在全国进行巡回报告。全国各地、各行各业，特别是地震灾区也对本地区、本部门的抗震救灾先进集体和先进个人进行了表彰。

青海省政府为保存玉树地震灾害现场，审定通过有关保护规定及地震纪念馆规划，提出保护地震遗址、遗迹及少数民族文化遗产的规范，为地震遗址及地震博物馆保护、建设提供了重要依据。

众志成城　抗震救灾

第一节　悼念·纪念

2010年4月21日，中华人民共和国为青海玉树地震中的遇难同胞下半旗志哀。4月21日，中共中央政治局常委会会议在北京举行。会议开始时，胡锦涛、吴邦国、温家宝、贾庆林、李长春、习近平、李克强、贺国强等党和国家领导人肃立默哀，表达对玉树地震遇难同胞的深切哀悼。

全国人大常委会、国务院、全国政协、中央军委、最高人民法院、最高人民检察院及全国各驻外机构下半旗志哀，并组织各种形式的哀悼活动，参加活动人员肃立默哀3分钟，为遇难同胞祈祷，为受灾群众祈福。

全国各省（自治区、直辖市）也以不同形式组织祭奠活动。在北京天安门广场、在青海西宁的新宁广场、在部队军营、在企业车间、在大学校园，在祖国的各个角落，全国各族人民停下手中的工作及一切活动，肃立默哀，汽车、火车、舰船鸣笛，防空警报鸣响，共同表达对地震遇难者的沉痛悼念、对遇难者家属和受灾群众的抚慰。

在哀悼日，地震灾区各级政府、各族群众举办各种公祭活动，表达对地震遇难者的深切哀悼、对遇难者亲属的深切抚慰。在地震灾区，救援现场、废墟前、抢险现场等地，灾区群众、抢险救援人员、医务人员纷纷肃立默哀，表达对遇难者的哀思。

解放军、武警部队、消防官兵、民兵预备役部队和公安干警及全省各地、全国各族人民通过多种形式悼念缅怀死难同胞。4月20日，十一世班禅额尔德尼·确吉杰布在北京西黄寺为玉树地震遇难同胞举行超度法会；香港佛教联合会为玉树受灾民众举行“青海玉树大地震祈福息灾冥阳两利法会”；在2009—2010赛季CBA总决赛第三场角逐前，现场人员为玉树地震遇难同胞默哀。4月21日，网友们点亮烛光为灾区祈福。4月22日，江西省德兴市界田中心小学的留守儿童托起载有千纸鹤、长达2米的纸船，表达对玉树的牵挂。

图片说明

4月21日，北京天安门广场下半旗志哀

一、解放军、武警部队、公安现役部队、民兵预备役部队和公安干警悼念

严 格 训 练 严 格 要

沉痛悼念玉树4.14地震遇难同胞

图片说明

① 武警官兵向在玉树地震中逝去的同胞们默哀

② 公安民警在西宁新宁广场参加各族群众深切悼念玉树地震遇难同胞仪式

图片说明

① 省、州、县三级公安机关民警在抗震救灾一线悼念玉树地震遇难同胞

② 公安民警、公安现役部队官兵、武警部队指战员在玉树地震灾区参加悼念玉树遇难同胞仪式

图片说明

① 公安现役部队官兵在玉树地震灾区参加悼念玉树遇难同胞仪式
② 玉树县公安局民警哀悼地震遇难同胞
③ 消防官兵哀悼玉树大地震遇难同胞

①

总后青藏兵站部抗震救灾医疗队

②

向4.14玉树地震遇难同胞致哀
奠

③

图片说明

① 武警部队官兵在抢险救援现场举行哀悼仪式，悼念玉树地震遇难同胞

② 4 月 21 日，解放军总后青藏兵站部 810 名抗震救灾一线官兵集体默哀

③ 4 月 21 日上午 10 时，第二炮兵抗震救灾部队在玉树灾区举行悼念活动

图片说明

① 4 月 21 日，玉树地震灾区人民和救援人员隆重集会，哀悼遇难同胞
② 中国人民武装警察部队青海总队机关向玉树大地震遇难同胞默哀
③ 96351 部队驻青海某部为灾区遇难同胞默哀

二、全国各地悼念

图片说明

① 中国中铁五局玉树援建队的工作人员向在玉树地震中遇难的同胞默哀
② 天津耀华滨海学校全体师生向在玉树地震中逝去的同胞致以哀思
③ 成都特警献花敬礼表达悼念

①

②

③

图片说明

①4月20日，十一世班禅额尔德尼·确吉杰布在北京西黄寺为玉树地震遇难同胞举行超度法会
②香港特别行政区长官曾荫权、各司局长和其他官员在总部广场默哀
③香港交易所在开市前举行哀悼活动，港交所高层管理人员在交易所内与出市代表默哀1分钟

图片说明

① 香港佛教联合会为玉树受灾民众举行“青海玉树大地震祈福息灾冥阳两利法会”

② 在 2009—2010 赛季 CBA 总决赛第三场角逐前，现场人员为玉树地震遇难同胞默哀

公司靠我发展我
抓住战略机遇期　聚精会神搞建
深切哀悼玉树地震遇难同胞

哀悼玉树遇难同胞

图片说明

① 中铁二十一局四公司哀悼玉树地震遇难同胞

② 4 月 21 日，网友们点亮烛光为灾区祈福

图片说明

4月22日，江西省德兴市界田中心小学的留守儿童托起载有千纸鹤的纸船，表达对玉树的牵挂

①

②

回民小学全体师生沉痛悼念玉树地震遇难同胞
③

图片说明

①4月21日，云南各族群众哀悼玉树地震遇难同胞

②4月20日晚，山东省菏泽市一位市民点燃蜡烛，手拱“爱心”，为玉树地震遇难者祈福

③4月21日，山东省枣庄市回民小学全体师生撑着雨伞默哀，悼念玉树地震遇难同胞

图片说明

4 月 21 日，复旦大学的学生们在雨中参加下半旗志哀仪式

三、驻外使馆悼念

图片说明

① 玉树牵动着世界，中国常驻联合国代表团纽约驻地 4 月 21 日下半旗志哀
② 4 月 21 日，中国驻美使馆举行仪式，哀悼青海玉树地震遇难同胞

图片说明

①4月21日，在埃塞俄比亚首都亚的斯亚贝巴，中国驻埃塞俄比亚使馆工作人员举行仪式，悼念青海玉树地震遇难同胞

②4月21日，在卡塔尔首都多哈，中国驻卡塔尔使馆工作人员向在青海玉树地震中罹难的同胞致哀

③4月21日，中国驻日本大使馆举行下半旗默哀活动

四、全省各地悼念

①

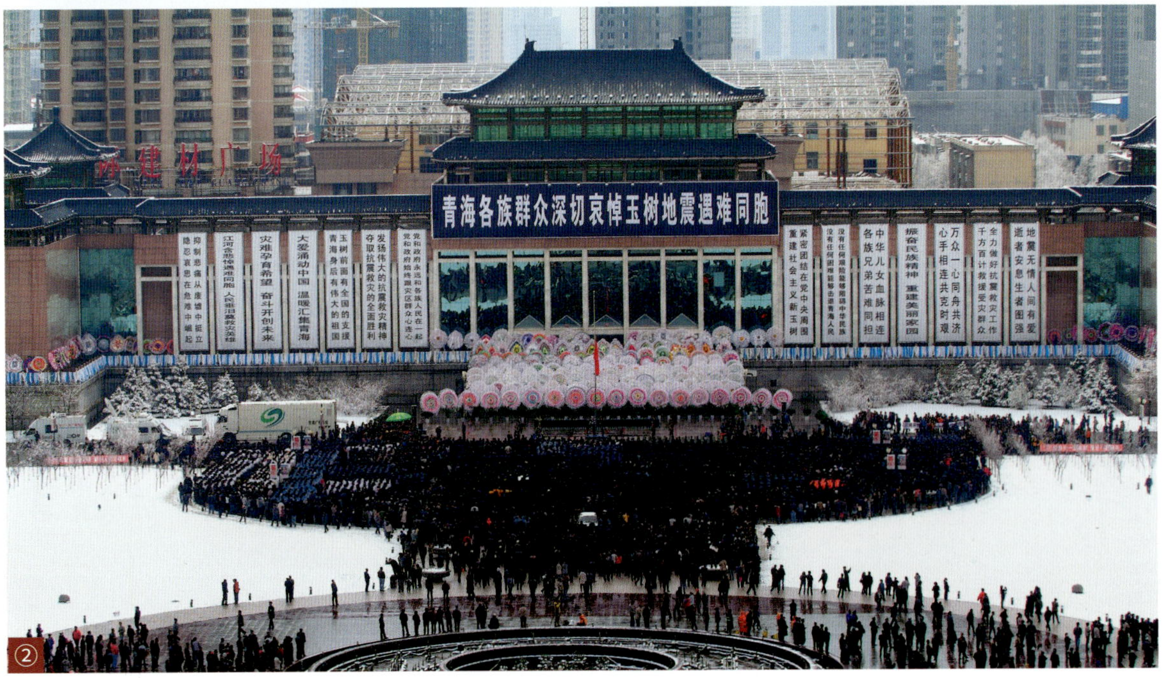
青海各族群众深切哀悼玉树地震遇难同胞

②

图片说明

①4月21日，省委书记强卫在玉树灾区哀悼活动中向遇难同胞献花

②4月21日，青海各族群众深切哀悼玉树地震遇难同胞

图片说明

① 小花寄托哀思
② 为逝者祈祷
③ 4 月 21 日，离退休干部向灾区遇难同胞默哀

图片说明

①4 月 21 日，各医疗救援防疫队参加哀悼活动

②4 月 21 日，共和县幼儿园小朋友为玉树遇难同胞默哀

③4 月 21 日，全省中小学生代表在西宁新宁广场沉痛悼念玉树遇难同胞

沉痛悼念青海玉树地震遇难同胞

图片说明

①4月21日，同仁县民族中学为遇难同胞祈福

②4月21日，青年志愿者脱帽哀悼不幸遇难的同胞

③4月21日，铁路抢运抗震救灾物资指挥部、青藏铁路公司抗震救灾工人突击队，在西宁站货场举行默哀仪式

①

②

③

图片说明

①4 月 21 日，玉树民众在救灾帐篷前对逝去的亲友同胞们致以哀思

②4 月 21 日，玉树县结古镇小学的孩子们向玉树地震遇难的亲友致以哀思

③4 月 21 日，玉树民众为逝去的亲友同胞诵经祈福

图片说明

①4月21日，玉树地震灾区现场默哀仪式
②4月21日，两名孤儿在祭奠妈妈

图片说明

① 当地学生在地震灾区现场举行默哀仪式
② 鲜花送别
③ 佐钦寺僧侣默哀

图片说明

① 佐钦寺救灾队诵经超度亡灵

② 各界人士送别

图片说明

① 机关下半旗志哀

② 玉树默哀日

③ 在全国哀悼日当晚，结古镇青年用蜡烛写出藏语“4·14 玉树”字形祈祷，寄托无限哀思

图片说明

① 结古镇僧人点燃酥油灯，为遇难者祈祷

② 在全国哀悼日的结古镇政府广场上，数千人在寒风中默哀，沉痛悼念地震遇难同胞

③ 民众和僧侣为遇难同胞祈祷

图片说明

① 玉树地震一周年后，青海省委、省政府在西宁市新宁广场举行玉树地震周年公祭活动

② 2011 年 4 月 7 日，省垣社科理论界召开纪念玉树抗震救灾一周年座谈会

③ 海南州第二民族高级中学举行哀悼玉树遇难同胞诗歌朗诵会

11 月 24 日，刚结婚 1 个月的龚大锬、李成环夫妇放弃去南方度蜜月的计划，和其他 3 名爱心人士驱车千里，为玉树 700 多名孤儿送去棉鞋、电脑、书籍等物品。不料，在返回兰州的路上，由于天降大雪，路面湿滑，他们乘坐的越野车翻下了路基，李成环与丈夫龚大锬两人身受重伤。年仅 25 岁的李成环在与伤痛斗争 10 天后离开人世。

图片说明

① 孩子们为李成环阿妈祈福
② 藏族阿妈为玉树女儿李成环送行
③ 社会各界人士自发前来为李成环送行
④ 众僧侣为牺牲的志愿者李成环诵经祈福

◎图片说明

义工黄福荣的葬礼在香港红世界殡仪馆举行，人们从四面八方赶来，向这位平凡而伟大的“香港之子”致以崇高的敬意

五、重建纪念

图片说明

玉树灾区重建2周年暨自治州建政60周年庆祝大会

图片说明

2013 年 11 月 3 日，庆祝玉树灾后重建竣工大会在玉树市新落成的赛马场举行

图片说明

①②③④⑤ 以“伟大祖国好　民族团结好”为主题的玉树灾后恢复重建3周年感恩晚会

第二节　总结表彰活动

在玉树大地震抗震救灾斗争中，涌现出了许多可歌可泣的模范集体、人物和先进事迹，生动展现了中华民族坚韧不拔、勇往直前的民族精神。为了弘扬这种精神，中共中央、国务院、中央军委表彰全国抗震救灾先进集体和先进个人，分别授予“全国抗震救灾英雄集体”和“全国抗震救灾模范”的荣誉称号，并召开表彰大会。中共青海省委、青海省人民政府、青海省军区也大张旗鼓地召开总结表彰会，对在玉树抗震救灾中表现突出的集体及个人进行表彰。

为广泛宣传英模事迹，中共中央组织部、中共中央宣传部、解放军总政治部和中共青海省委组织英模事迹报告团，在全国、全省作巡回报告。抗震救灾英模事迹感人至深，催人奋进，广大听众深受感动。

一、总结表彰大会

图片说明

2010 年 8 月 14 日，全省抗震救灾表彰大会在西宁举行

弘扬大爱同心、坚韧不拔、挑战极限、感恩奋进的玉树抗震救灾精神，
奋力夺取灾后恢复重建和经济社会发展的全面胜利。

①

全国抗震救灾总结表彰大会

②

图片说明

① 2010 年 8 月 14 日，全省抗震救灾表彰大会在西宁举行。图为受表彰的英模

② 2010 年 8 月 19 日，全国抗震救灾总结表彰大会在西宁举行

青海省公安机关玉树抗震救灾先进集体先进个人表彰大会
①

把玉树建设成为人民安居乐业、城乡共同繁荣、人与自然和谐相处的美好新家园
②

图片说明

①2013年8月23日，青海省公安厅召开青海省公安机关玉树抗震救灾先进集体、先进个人表彰大会

②2014年1月10日，玉树地震灾后恢复重建总结表彰大会在青海会议中心召开

图片说明

①2010年8月27日，青海省人民检察院召开全省检察机关玉树抗震救灾“双先”表彰暨先进事迹报告会

②2011年4月11日，青海省红十字会在西宁召开玉树抗震救灾表彰大会，会上对149个先进集体和100名先进个人进行了表彰

①

②

图片说明

① 2011 年 4 月 28 日，青海省庆“五一”暨玉树抗震救灾灾后重建全国“五一”双奖表彰大会在西宁召开

② 2011 年 4 月 14 日，青海武警系统召开玉树抗震救灾及灾后重建先进事迹报告会

二、先进集体、先进个人掠影

图片说明

① 2010 年 9 月 25 日，中华全国总工会授予青海省人民医院、青海大学附属医院、西宁市第二人民医院“全国工人先锋号”称号

② 2010 年 9 月 25 日，玉树州邮政局被中华全国总工会授予“全国工人先锋号”称号

①

②

图片说明

①2010 年 9 月 25 日，中华全国总工会授予中国石油青海油田分公司抗震救灾供电突击队“全国工人先锋号”称号

②2010 年 5 月 8 日，民建青海省委召开学习和践行社会主义核心价值体系活动——抗震救灾报告会

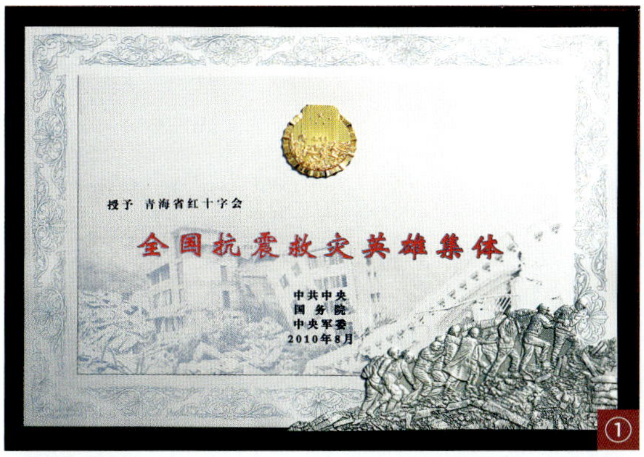

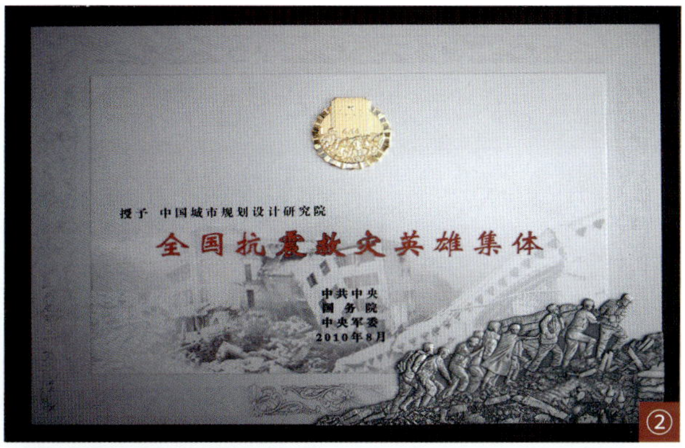

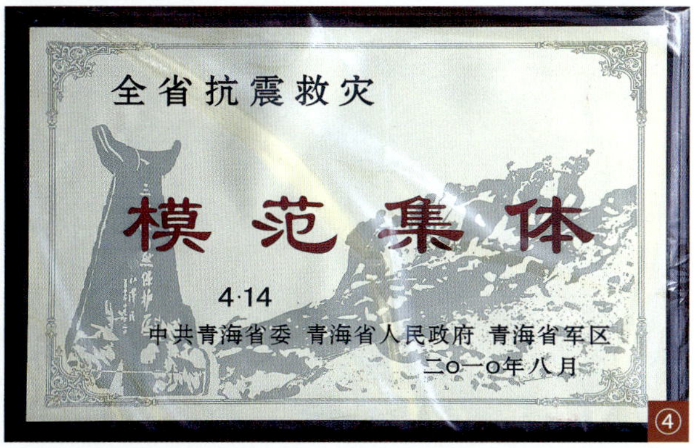

图片说明

①中共中央、国务院、中央军委授予青海省红十字会“全国抗震救灾英雄集体”称号

②中共中央、国务院、中央军委授予中国城市规划设计研究院“全国抗震救灾英雄集体”称号

③青海省投资集团有限公司抗震救援队被中共中央、国务院、中央军委授予“全国抗震救灾英雄集体”称号，同时获得中华全国总工会颁发的“全国工人先锋号”称号

④“全省抗震救灾模范集体”牌匾

⑤“玉树抗震救灾先进基层党组织”牌匾

⑥“青海玉树抗震救灾先进集体”牌匾

图片说明

① 团省委宣传部被中共中央、国务院、中央军委授予“全国抗震救灾英雄集体”称号

② 2010 年 7 月 1 日，全省公安机关召开玉树抗震救灾先进集体和先进个人表彰大会

图片说明

① 2010 年 8 月 12 日，省直机关抗震救灾先进事迹报告会现场

② 青海玉树抗震救灾先进事迹青年宣讲团在宣讲

①

②

图片说明

① 少先队员为先进集体和先进个人献花

② 青海省消防总队总队长刘江民在北京人民大会堂作报告

图片说明

受表彰的全省法院系统先进集体、先进个人代表

图片说明

① 荣耀

② 玉树地震灾后重建先进个人

图片说明

2011 年 8 月 23 日，玉树州为灾后重建做出贡献的中央企业青年突击队代表授旗

三、学习交流、观摩

图片说明

① 2011 年 9 月，玉树州基层党建观摩团一行在曲麻莱县委办公室党支部观摩党建工作
② 2012 年 8 月，玉树州基层党建观摩团在玉树县中国建筑项目点观摩党建情况
③ 2013 年 8 月，玉树州基层党建观摩团一行在基层学习先进经验

摄影单位和摄影人员名单

摄影单位

新华社
青海日报社
青海新闻网
青海省摄影家协会
西海都市报社
西宁晚报社

摄影人员

丁海生	卜建平	于　海	于志新	才仁昂江	才让当周	马　健	马永前
马有义	马斌荣	马福江	王　磊	王永惠	王志强	王研峰	王桂明
王培中	王琦辉	韦　熹	扎　西	扎西江措	扎西昂布	乌席勒	孔庆东
孔庆西	孔祥瑞	邓旭峰	左　宏	石立飞	田小英	田选章	田惠源
付　洛	代青湘	冯　武	冯　焱	尼　亚	邢玉春	西　江	年　炳
朱　祥	朱永生	朱党群	任忠林	任建军	多吉仁青	刘　金	刘　强
刘玉新	刘宁仓	刘西明	刘应华	刘武升	刘国庆	刘家赢	刘曼莉
刘端强	闫青林	江　涛	江长有	祁正吉	祁东羽	祁国彪	祁建青
许明远	孙茂舟	孙洪斌	孙海波	严承祥	克　桑	李　军	李　斌
李　靖	李　群	李仁峰	李文华	李书海	李吉福	李延年	李向宁
李国权	李和平	李晓南	李得胜	杨少英	杨金花	更噶扎西	肖　巴
吴中雄	吴文中	何生菊	何俊昌	何俊量	邹小庆	冶青林	冶晓刚
汪晓刚	沈传立	张　亮	张　海	张小平	张友志	张文郡	张永良
张永胜	张有才	张伟民	张延华	张旭英	张宏祥	张明慧	张秉礼
张建刚	张建伟	张俊青	张胜邦	张贺全	张海东	张景元	阿　太

陈　立	陈　翔	陈　煜	陈长生	陈文渊	陈永辉	陈有钧	陈国贤
陈法录	陈俊芬	武新秦	青　林	范海骅	昂公扎西	罗　样	周　俊
周　斌	周成山	周树仁	周格生格	郑云峰	郑爱军	官　群	赵　力
赵　云	赵四海	赵成锴	赵时春	赵金德	荆再琛	茹遂初	柯岩斌
钟文刚	保广元	侯　成	侯　伟	侯文敬	施立成	娄勇智	姚正武
贺大明	贺凤龙	贺西京	袁　成	袁立军	贾生青	贾代腾飞	贾江洪
贾新华	夏　冰	徐　浩	徐皖青	徐德明	凌须斌	高　军	高　毅
高振明	高海宾	郭志田	郭志伟	郭继庄	唐仲蔚	海忆水	谈建国
陶　林	梅　生	曹　卫	曹　鹏	曹礼让	曹礼炳	常立岗	崔　亮
崔春起	麻旭红	康自福	梁达明	梁　辉	葛玉修	董　琦	董力妤
蒋连生	韩　威	韩三俊	韩小龙	韩红星	韩明录	谢　鹏	雷　刚
雷小林	雷启荣	路生贵	鲍武章	解海龙	蔡　征	嵺伯泰	廖　攀
熊九龄	樊大新	黎春霞	薛长福	冀　文			

后　记

2010年10月，青海省人民政府《关于印发玉树大地震救灾重建志编纂工作方案的通知》下达之后，在省委宣传部的领导下，在青海省地方志编纂委员会办公室的指导下，省政府新闻办公室及时抽调人员，组建《玉树大地震救灾重建志（卷二）图志》（以下简称“《图志》”）编纂委员会及办公室，着手拟订《图志》编纂工作方案和提纲，并向全省发出专文广泛征集“4·14”玉树大地震的图文资料。经过半年多的时间，征集到第一手文字资料约80万字、图片30000余幅及一些影像资料。根据《玉树大地震救灾重建志》编纂委员会办公室（以下简称“全志办”）审定的《图志》大纲，《图志》编委会从征集到的图文资料中，反复筛选，精心编制，初选了3000多幅图片入编，同时组织人员撰写概述、章节无题简述、图片说明等文字约20万字。文字和图片初编完成后，又进行了细编，形成完整书稿。之后，送交全志办审阅，经过专家评审，针对专家们提出来的意见，又进行了3次大幅度的调整和修改，从而使图志的形式更加规范、内容更为充实、文字更为精练、图片更为精确。

全书资料的整理收集，凡例、编纂说明、图片说明等文字及图片的初编、复选由陈长生承担。全书文字、图片的修改以及概述、各章节的简述、后记由李向宁承担。王鲜玲、王军香、马艳萍等承担了部分章节图片文字的初选、收集。刘贵有、宋江涛、周斌、武良桃、赵华、刘伟、马凤莲等先后参与了编纂前期组织、筹划及大纲的编写、修改、审核和《图志》长编的终审工作。

在历时3年的资料征集、编纂工作中，编纂人员恪尽职责，历经艰辛，克服重重困难完成了编纂任务。需要说明的是，尽管《图志》编委会在编纂本志之前已广泛征集资料，并对重要的事实进行了多方面的比对核实，但由于面对突如其来的大地震，参与抢险救灾的地域广泛、单位（部门）和人员众多、工作繁杂及之后的援助、重建中项目多，时间跨度长，因此难免有遗漏的内容，尤其是图片征集困难较大，有些资料的相关数据已经无法一一查清，在此深表遗憾，恳请作者、读者予以谅解。

能完成志书的编纂，首先要感谢提供资料的省内外各级党委、政府、部门、企事业单位，没有他们的大力支持和帮助，要完成《图志》的编纂是根本不可能的。同时，还要感谢战斗在抗震救灾第一线的新闻记者、通讯员和摄影家，是他们用各种记录手段，及时记录了灾区的种种见闻，捕捉了许多动人心魄、感人肺腑的画面。还有来自抗震救灾第一线的非新闻、摄影专业人士提供的第一手资料，这些鲜活的资料弥补了专业新闻工作者无法企及的许多内容，因而弥足珍贵。

《玉树大地震救灾重建志（卷二）图志》编纂委员会

2020 年 12 月